美学の練習

津上英輔

春秋社

ガイダンス
講義の前に

本書は美学のこれまでに蓄積された理論を紹介するものではない。そうではなく、読者が自ら美と芸術について考え、その結果を自らの生に活かす手がかりとなることを目的とする。『美学の練習』という、書物の題としては聞き慣れない表現を敢えて採ったのは、そのためである。

練習（exercise）とは、動作や理論を、自分の体と頭を通して身につけるための行ないである。運動や制作・演技において練習が重要であることは言を俟たないが、抽象的な数学の定理の理解にも、実際に数字の入った練習問題を解くことが必須だ。定理という名のことがらを客観的に把握するだけでなく、それが我がものとして実際に使えるようになってこそ、本当の意味で理解したと言える（『自由自在』という学習参考書・問題集は、私が小学生の頃からあった）。その助けとして、実際の行使と同じ形で模範演技や解答の全過程を見せられることが多い。

それが本書で私の行なうことだ、と言ってはあまりにおこがましく、何とも居心地が悪いのだが、一つの解答例を差し出す責任は負いたい。つまり美学の諸問題に、私なりに、言い換えれば私の感じ方・考え方と私の言葉で、一つの解答に至る過程を示すことである。もちろん、「私の」とは言っても、学問である以上、先人の考えを踏まえるべきは当然で、私も根本においてカントやアリストテレスの思想に大きく依拠している。だがその場合でも、できるかぎり私自身の言葉で説明するよう試みる。ただし前提は、立論に都合のいいものではなく、現代日本の多くの人が共有していると思われる事実や観念としたい。

　しかし行論の重視は、必ずしも結論の軽視を意味しない。むしろ辿る道が私のものなら、行き着く先も私のものになりやすいだろう。他の美学の議論にあまり見られない、美と芸術の否定的な面を指摘するのは、その一例と言えるかもしれない。さらに言えば、拙くとも一から自分で考えることで、体系的とまでは言わずとも、部分同士がある程度連関し合う論の構築も望み得る。美の定義を本書全体の根底に置くのは、その目論見ゆえである。

　このように、多くの人が知り同意する前提から、私の行論によって私の結論に辿り着くまでを読者に提示し、それを参考に読者が自ら「練習」に乗り出すよう誘《いざな》う、それが本書の内容である。さらに、各講末尾に「補講」を置き、別の角度から問題を見る実例とした。その結果として期待できるのは、美と芸術についての理解が読者自身の中で深まり、美的・芸術的経験の輪郭と意味が明確になることで、自分がさらにいかなる美と芸術に接するべきか、そこから何を得るべきかを決められるようになる、それを通じて、究極的には自らの生を豊かにすることである。

　実はそれと同じことを、私は講義の目的とし、実践しようとしてきた。成城大学芸術学科で三十年にわたって担当している「美学一般講義」すなわち美学概説の授業だ。ここ数年、一学年の二つの学期を「美とは何か」と「芸術とは何か」に分けて論じながら、大小の改訂を加え続けた結果、骨子が固まったというのが、本書刊行の背景である。

できるだけ自分の言葉で語るというスタイルも、この講義の中で培われた。美や芸術というものを理解したい一方、哲学的素養の薄い芸術学科の学生を前にして、「つまりね」と幾通りにも言葉を換えて説明することの積み重ねの中から、自分自身のわかり方と語り方が固まってきた。

同様に、私はこの授業で、講義内容を自分の経験に関係づけることを学生に求めている。そのため、期末試験で、授業内容に直接関係する命題に賛成・反対の論を展開したり、命題に合う例を見つけて説明するなど、事前に予告した課題に各自答えを用意してもらう。お節介かもしれないが、一人ひとりが私の話を、知識として聞き置くことから一歩踏み込んで、賛成するか反対するかを含めて、我がものとしてもらいたいと思うからである。まさに「練習」だ。その先にある最終的目標は、「自分で感じ考えられる人」になってもらうことである。

授業では、各学期に二回、書面で質問を受けている。回答を用意する中で、私の考えの欠を補い、次の問題に進むきっかけをもらった。これは私自身の「練習」だ。今回、この形にまとめる際にも、数年分の質問を読み返して、改善に利用させてもらった。

本書の想定する読者も、美とは何か、芸術とは何かの問いに、過去の学説や標準的理論を通してでなく、直接自分の心と頭で答えを見つけたい、そのような人である。芸術に関する一般的知識を除いて、特定分野の素養は問わない。そのような読者がさらに進んで、本書で取り上げた以外の美と芸術の問題に、「私ならこう考える」とか、さらには人生や社会の問題に自ら取り組み、解を探るという境地にまで達していただければ、それは著者として望外の幸せというものだ。

このような目的から、本書の形態は自ずと定まった。まず、本書で提示される私自身の考えには、これまでにないものがある程度含まれていると思われるが、先行研究との対比においてその新しさを明示することも、考え得る批判に備えることもしない。注もなくした。その意味で、本書は研究書ではない。しかし過去の研究をあまり引き合いに出さないだけ、自分で論を通す責を負う。

次に、私は授業で繰り返しを厭わないことにしている。学生時代の自分自身を省みてのことだが、先週の授業内容や、まして数週間前に聞いたことは、ノートをめくりながら思い出せればまだいい方で、そうでない場合、先生の話がつながらなくなる。そこで、私の講義で以前の内容を踏まえるときには、くどさを承知の上で、なるべく端折らずにもう一度説明するようにしている。本書で同じ形を採ることはできないが、代わりに「第3講第2節［2］「逸脱の魅力」を参照」のように、多くの場合、見出しの文言まで含めて、関連箇所を指示する。とにかく早く話の概要をつかみたい読者や前の内容を充分弁えている読者には、煩わしく感じられるかもしれないが、著者の老爺心と思ってご寛恕願いたい。こうすることで、何より私自身が、あっちの話とこっちの話の辻褄を合わせることができた。

さらに、内容上、話がどうしても抽象的になりがちなのを、なるべく具体例を挙げて説明するよう心がける。もちろん、例というものは、伝えたい観念から見ると「雑音」と言うべき要素を必ず含む。しかしその雑音こそが、次の問題を考えるきっかけになることもしばしばである。そもそも、ぴったりする例を探すのは、命題理解の重要な練習過程だ。

最後に、小さなことだが、聴き手に語りかけて「練習」に誘うという授業の雰囲気を、いささかなりとも読者に伝えるため、「私」（授業では「ぼく」なのだが）、「あなた」を使う。その結果、本書では「私」を三つの意味で使うことになる。第一に実在人としての津上英輔、第二に「あなたと私が議論する場面を考えよう」のように、相互的行為における「一方の人」、第三に、一般的に「人」または「自分」を言う場合である。それに対応して、「あなた」も、第一にこの文章を読んでいる実在の人、第二に「もう一方の人」と、二とおりある（第三はないだろう）。ほとんどの場合、どれであるかは文脈上明らかだが、特に必要と思われる場合は、その都度言い換える。

目次

第2部　芸術とは何か

凡例

・ガイダンスで述べたように、本書は講義を基にしている。その雰囲気を少しでも残すため、通常の書物の「章」に当たるものを「講」とする。実際の講義では、三〜四回の授業に相当する。

・授業では、学生の理解を助けるため、話の内容をなるべく黒板で図示するようにしている。本書でもそれを踏襲する。その際、図、表、写真、楽譜などを一括し、「図表7-5」のように、講とそこでの通し番号を付する。

・本来的表記である「第3講第2節第2項」は、引照の際、あるいは目次や見出しでは、「第3講第2節[2]」と表記するが、本文中では「前項」、「本節第2項」のようにすることもある。

・外国語文献からの引用は、信頼できる既訳がある場合はそれを使い、私自身の訳で提示したい場合はそうする。いずれの場合も、訳者名を明記する。

・西洋語が原語のまま、たとえば「このartという語は」のように文中に括弧なしで出現する場合、文の一部であり、「術（art）」のように丸括弧に囲まれた場合は、直前の語の補足説明である。

・ギリシャ語は原則としてカタカナ書きまたはアルファベット書きに置き換える。

・ギリシャ語、ラテン語の長音は、イデアーでなくイデア、ピュータゴラースでなくピュタゴラス、キケローでなくキケロのように、原則として無視する。ただし、テクネー、ムーシケー、ローマのような慣用には従う。

美学の練習

第1部
美とは何か

第1部では、「美とは何か」の問いに答えようとする。少し詳しく言えば、我々が「これは美しい」と言うとき、その発言にはどのような内容が含まれているのか、その判定はどのような構造において下されるのか、また美と「かわいい」の関係は何か、美をとらえる心の働きである感性とは何か、さらには美にはいかなる危険が潜んでいるのか、このような問いに、なるべく私自身の言葉で答えて行きたい。

第1講　快の一種としての美

美とは何か、の論に入る前に断わるべきこととして、言葉の問題がある。まず、日本語「美し(い)」の語義は歴史的に変化しているが、本書では、現代語の用法だけを念頭に置く。次に、「美」は形容詞「美しい」の抽象名詞形ととらえ、「美しさ」と同義とする。最後に、本書では、漢字であり中国語起源の「美」とやまとことばとしての「うつくしい」を語義上一体のものと見る。同様に、「美しい」を英語 beautiful、ラテン語 pulcher、ギリシャ語 kalos などと同義とする。無論、それらには大きな意味の偏差があり、それを無視して一括りにするのは乱暴な議論にも見えるが、他方で、それらが中核的語義において重なることも確かだろう(これは英和辞典、羅英辞典のような対訳辞書で容易に確かめることができる)。本書で「美しい」および「美」という語が指すのはこの中核的語義である(明治時代に「美」の語が定着する過程については、『哲学・思想翻訳語事典』増補版における鈴木由加里の「美」の項目を参照)。

第1節　美の定義

「美とは、私に快と感じられる、もののよさである」——これを美の定義として、本書全体の根底に置く。続く二つの節でその妥当性を検討するが、その前に、まず定義の意図を明らかにしておきたい。

まず文言について言えば、定義中「私」と言うのは、この文章を書いている津上英輔のことではなく、それぞれの判定主体であり、「もの」と言うのはそれぞれの判定対象である。これは、ある人（判定主体）が、ある作品なり風景なり人なり（判定対象）を前にして、これは美しいかという問いに答えようとしている場面を想定している。なお、ここで、多くの美学書において同様の文脈で用いられる「判断」の語を避け、あえて「判定」とするのは、「判断」が「決断」と通じて、次の行為を決めるという含みを持つことがあるからだ。ここでは、「判定」の語によって、あるものが美しいかどうかを見定めるまでの局面に視野を限定することを強調したい。そして対象が美しいかどうかを判定することを「美的判定」と呼ぶ。

第二に、「私に快と感じられる」の後に読点（、）を入れるのは、「快と感じられる」と「もののよさ」とを対等の条件としたいからである。くどく言えば、「美とは、私に快と感じられ」、かつ「美とは、もののよさ」であるということだ。すると、二つの条件は、順番を換えてもよいことになる。つまり「美とは、もののよさと感じられる、私の快である」と言うこともできる。場面によっては、こちらの方が便利なこともあるだろう。

第三に、この定義は字面上、見慣れないかもしれないが、内容的に、ドイツの哲学者カント(Immanuel Kant, 1724–1804)の思想を踏まえていて、見ようによってはそこから一歩も出ていないとさえ言える。「見ようによっては」と言うのは、この言葉で表現することによって初めてわかりやすく説明できることがあるという見方をすれば、カントから一歩出ていると見られるかもしれないからだ。

最後に、あえて定義を簡潔にするのは、この先で美の諸相を論じるに当たり、その都度立ち帰り、議論のブレを防ぐには、定義は簡潔な方がよいからである。

次に定義への内容的注釈として、「快と感じられる」と「もののよさ」という二つの条件を美の定義に盛り込むのはなぜかを明らかにしよう。快と感じられることを条件とする美的判定に対して、たとえば「この鉛筆は長さ一〇センチである」とする記述的判定の場合、判定する私がそれを「長さ一〇センチである」と感じようと感じまいと、鉛筆の性質としての「長さ一〇センチ」は変わらず、この判定を否応なく受け入れるしかない。ところが美的判定の場合、たとえば「この人は美しい」とする誰かの判定に、もし私が何も感じることなく同意すれば、嘘をついた気がする、それが我々の経験ではないだろうか。つまり「この人は美しい」という判定において、私が自らそう感じることが必須の条件なのである。

「感じる」のこの主観性は、日本語の用語法からもはっきり確かめられる。すなわち、一人称で

「私は感じる」とは言えるが、二人称で「あなたは感じる」、あるいは三人称で「あの人は感じる」とは言えない。国語学で「人称制限」と言われるものの一つだ（厳密に言えば、同じ一人称でも、「我々は感じる」という場合、「我々」に含まれる「私」以外の人は二人称または三人称なわけだから、人称と数の制限と言う方が正確かもしれない）。「あの人は感じている」なら何とか言えそうな気がするのは、「ている」が、外側から観察できるかもしれない状態の描写を表わすからだろう。

　他方、「もののよさ」の条件は、私に快と感じられるものすべてが美なのではないことを言おうとしている。これは次節で快の区分けとして詳しく説明する点だが、たとえば喉が渇いたとき、水を飲めばおいしい。これは確実に快である（我々はこれを心地よさと呼ぶだろう）。しかしこの快は対象の、この場合水の、よさとは感じられず、ただ飲んだ私の満足があるだけだ。それに対して、たとえば芸術作品を美しいと判定する場合、私はほかならぬその作品（もの）が美しい（よい）と感じている。このように、美的判定において、判定主体が快を感じることと、それが判定対象のよさと感じられることとが、どちらも不可欠である。

　定義への内容的注釈の最後に、美的判定において、「もののよさ」と、私が「快」を感じることは、時間的にも空間的にも認識的にも、厳密に一体でなければならない。つまり、快が何かを経た後にやってくる、あるいはこの部分は快でないが、別の部分から快を得るという具合であってはならない。一例を挙げれば、競馬観戦において、走る馬の姿を見る快は、見る行為そのものと同時に、そしてその行為そのものからやってくるのに対して、賞金目当ての人は馬が走る姿からは快を感じず、後に賞金を得ることを喜びとする。したがって前者は馬の美をあじわっているが、後者はそうではない。「部分」については、シロップ剤を例としよう。薬の成分は不味いが、シロップは甘い。子どもがシロップ剤が好きなのは（私もそうだった）、体によい薬のゆえではなく、甘みゆえである、

美的判定が「認識的に」一体と右に言うのは、私がある対象、たとえば工事現場のクレーンについて、「力強い」という客観的認識を得た上で、力強いのはよいことだから、そこから快を感じるというように、段階を経る場合との対比においてである。ここでは、もの（クレーン）と快との間に、「力強い」という一つの認識が介在している。この快は美の快ではなく、たとえば効率のよさを経て私の利益すなわち心地よさに属する。

美の判定においてはそうではなく、快と感じることがもののよさと完全に一体である［図表1－1］。つまり、もの（クレーン）がよいか否かの認識が、専ら私の快（快とは何かは、次節で説明する）によって、私の快として成り立つのであって、それ以前、以外には何の認識もない。言って見れば、主観的快によって客観的認識を行なうのである。

先ほど、美の定義「私に快と感じられる、もののよさ」は、「もののよさと感じられる、私の快」と言い換えられると述べたが、美が、「もの」すなわち対象の性質であるのか、「私」すなわち主体の感情で

図表1-1　美的判定の認識的一体性

美的判定

もの（よさ）＝快

非美的（心地よさの）**判定**

もの→客観的認識（よさ）→快

あるのか。はっきりしない、あなたはそう思ったかもしれない。まことにもっともな疑問だ。それに対して私はひとまず、たった今説明したように、まさに両者が一体であることが、美の特徴です、そして本講第3節「美的判定の主観性と客観性」でさらに詳しく説明します、と答えよう。

しかし、その説明を経てなお、わかりにくさが残るであろうことも否めない。何しろ、対象の性質と主体の感情を等号で結ぶわけだから、記述的判定に喩えれば、「私が九センチと思うから、これは九センチだ」と言うようなものだ。この不合理は、美を快として説明する主観的美論に付きものの弱点である（これについては、本講の補講1「人を超越する美　プラトンの思想」も参照）。前段で「ひとまず」と言ったのは、そのためだった。

だがこの不合理は、実は感性の働きの特徴であり、第4講第2節「感性の独特な働き」で扱う興味深い諸現象と並ぶものである。これはとりもなおさず、この美の定義のわかりにくさを乗り越えた先に、感性の独特な働きへの洞察が開けるということなので、まずは本講のこれからの説明を聞いていただきたい。

第2節　美と快

前節では「私に快と感じられる、もののよさ」という美の定義を、注釈とともに示した。この節では快とは何か、そして美はいかなる快であるかを論じる。

［1］快とは何か

「美は快である」あるいは「美しいものの経験は快い」。これは西洋近代で広く認められた美の規定である。じっさいこれは、我々の経験に合致しているだろう。満開の桜に包まれる人、ラッファエッロの『聖母子』像を見る人、あるいは清らかな心に接する人、いずれもそれを快いと感じているのは間違いない。

しかし、「快」とは何か、あるいは快とそうでないものの区別を問おうとすると、意外に難しい。アリストテレスは快を、人間本性への回帰とした（『弁論術』第一巻第十一章）。たしかに生命的あるいは精神的衝動が満たされたとき、すなわち本性に合致するとき、我々はそれを快と感じる、平たく言えば、欲しいものを手に入れるのが快であるということだ。たしかにこの規定は一定の有効性を有している。空腹のときに食べるものは何でもおいしい、つまり快である。

では、疑問が解けた喜び、これまで別々に知っていたこれとあれとが繋がっていることを発見した快（これを「知の快」と呼ぼう）は、どう説明できるだろう。アリストテレスなら、「人は本性的に知ることを欲する」（『形而上学』第一巻第一章）と答えるだろう。私自身はこの命題に大いに賛同するが、そうでないと主張する人を説得するのは難しい。それはある状況下で、ある人々についてだけ妥当することだとする反論に、有効な再反論を提示できる自信はない。つまりこの「本性」論は一種の本質主義だということである。さらに言えば、知の快の説明として、実在を確証できない本性的欲求を措定するのは、一種の論点先取であって、この論は前提と帰結が循環しているとも言える。

ここで、先人の考えの概観のため、日本語で書かれた哲学事典として標準的な『岩波哲学・思想事典』（一九九八年）の「快」の説明を参照しよう。（泉谷周三郎執筆）

> 快〔英〕pleasure〔独〕Lust〔仏〕plaisir　快とは、一般には生物（とくに人間）にとって、「好ましい刺激」、欲求の充足から感じる「心地よさ」、諸活動に伴う「意識の楽しい状態」あるいは「愉快・有頂天・歓喜・うれしさのような特殊な種類の気分」のことで、苦痛・不快などの反対語である。快は元来主観的で個人的な概念であり、食欲や性欲などの充足の結果生ずるものから、スポーツをしているときの心身の爽快さ、親しい友人と語り合ったときなどの満足感、きれいな花を見て美しいと感じたときの欲望的な関心のない感情、長期間の修行の結果体得される宗教的法悦などにいたるまで、さまざまな種類の多くの好ましい経験を意味する。

過去の哲学説を紹介するのではなく、執筆者自らの考えで「快」を広くとらえようとする点、本書の目的に合致している。しかし内容を詳しく見ると、「のような」、「など」、「さまざま」という表現が目に付く。これらの語句は、列挙されたものがすべてではないことを意味する。列挙が完全な枚挙であれば、概念の外延を尽くしたことになって定義として成り立つが、この説明はそれを諦めている。

他方、小規模ながらしばしば鋭い洞察の光る『ブリタニカ国際大百科事典』小項目版（二〇一八年）は、快を他の感情から区別するものとして、「その感情の持続を望む状態」としている。つまりこの規定は、「このままこれを感じ続けていたい」と思うとき、その感じている内容が快であると説明するわけだ。これは『岩波哲学・思想事典』に列挙された「食欲や性欲などの充足」、「心身の爽快さ」、「満足感」、「欲望的な関心のない感情」、「宗教的法悦」に当てはまり、それらの経験を「その感情の持続を望む状態」と一元的に説明する点、優れている。

しかしこの定義も完全とは言えない。なぜなら、先述のアリストテレスによる規定と違って、快の原因を内包的に説明しない以上、「その感情の持続を望む」という属性で全外延が尽くされることを別に証明しなければならないからである。

加えて、この規定の不完全さとして、「持続」の問題がある。上の列挙の中で「心身の爽快さ」、「満足感」、「欲望的な関心のない感情」、「宗教的法悦」には「その感情の持続を望む」という規定が何とか当てはまりそうなのに対して、「食欲や性欲などの充足」については、同じ感情の持続より昂進、つまりもっと強く感じることを望むのではないか。たとえば空腹のときに食べる一口目は、何でもおいしい。しかし同じものの二口目は、味覚に与える物理的刺激は同じでも、食べる我々の満足度つまり快の感情は減じるだろう。つまり「その」（同じ強度の）快を持続させるには、より強い刺激が必要になる。

強度ばかりではない。かりに何らかのしかたで（たとえばおかずを食べる都度米飯を食べたり酒を飲んだりするように）同じ快を持続させることができたとしても、人はすぐその快に飽きてしまい、別種の（この場合別の味の）快を求めるだろう。つまり「その感情」を「持続」させるには刺激の昂進または更新が必要なのである（これまでの状態を否定してもっと先へ進むことを意味する「昂進」は、改めることを意味する「更新」の一種と考えられるから、今後、一括して「更新」と呼ぶことにしよう）。意識はこれを、もっと強く味わいたい欲求ととらえるだろう。

この観察から、一つの小さな修正を加えることができる。「その感情の更新を望む状態」を、快とそうでないものを見分けるための暫定的規定としよう。

［2］積極的快と消極的快

快には、苦（不快）の除去である消極的快と、苦を前提としない積極的快がある。図式的に言えば、前者はマイナスからゼロへ、後者はゼロからプラスへの変化に当たる。ただしこの「ゼロ」とは、何も感じない状態であり、ちょうどよいと感じることではない。前出の『岩波哲学・思想事典』の例で言えば、「食欲」の「充足」は、空腹という苦を前提とし、それの解消が快と感じられるという意味で、消極的快の典型的な場面だ。寒い戸外から暖かい部屋に入ったときの心地よさ、排泄時の解放感など、類例を挙げればきりがない［図表1－2］。

それに対して「親しい友人と語り合ったときなどの満足感、きれいな花を見て美しいと感じたときの欲望的な関心のない感情、長時間の修行の結果体得される宗教的法悦」は、ひとまず苦を前提とせず、ゼロ地点から出発する積極的快と見ることができる。先ほど上げた「知の快」もこれに当たる。

「ひとまず」と言うのは、たとえば、私自身は経験したことがないが、「宗教的法悦」は、辛い現実を乗り越えるための「修行」の結果であるとすれば、マイナス地点から出発していると考えるべきかもしれないし、あるいは「性欲」の「充足」も、普段満たされぬ欲求を前提としていると言えるかもしれない（うちの雌猫コマチは生後十ヶ月ほどして盛りがつき、「ワオー、ワオー」と切なげに鳴いた。家の外には出さないので、避妊手術をせずに済むものならそうしたいと思っていたが、この様を見ると、行き場のない性欲を苦痛と感じていたに違いない。結局手術を受けさせ、その後落ち着いた日々を送っている）。

　逆に、美食の快は必ずしも空腹の苦を前提としないし、夏でも温かい風呂は快い。結局、消極的と積極的の区別は絶対的なものではなく、相対的なものと考えるべきだろう。

　消極的快において除去される苦は、人間の生存に直結する。排泄の我慢、空腹がその典型だ。したがってこの苦の除去は直接に強く感じられる快となる。それに対して、積極的快はふつう日に何度も訪れるものではなく、直接性の度合いも低い（しかしこれは比較的長く持続し、ときにひどく強く人の心をつかむ）。するとこれは快として周辺的なもの、快ら

図表1-2　消極的快と積極的快

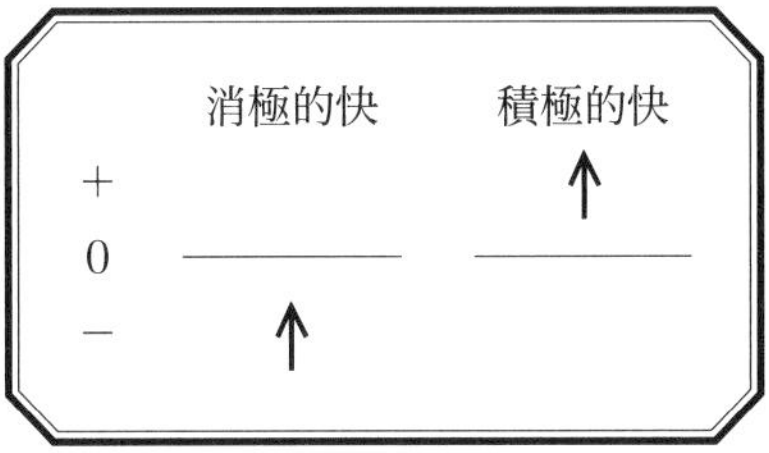

しくない快、劣った快なのだろうか。そうではない。消極的快は苦を不可欠の前提とし、苦の消滅とともに快も解消する上に、同じものが、欲求の充足とともに完全に魅力を失う。たとえば喉の渇いたときに飲む水はおいしいが、渇きが治まった後、「もっと飲みなさい」と言われると、逆に厭わしいものになる。このように、消極的快は苦の混入した非純粋の快であり、それだけ快として劣っていると言うこともできる。優劣はともかくとして、ここでは、積極的快が消極的快と同様、立派な快であることを確認しよう。

［3］美と他の快

カントは快を、①善、②心地よさ、③美の三種に分けた［図表1－3］。ここでは、大哲学者の説以上の考えが浮かばないので、従わせていただく。

善の快とは、自分が理性の命ずるところ、すなわち人類普遍の道徳律に従って行為しているとわかったときの満足であり、善を感性からとらえたものである。たとえば困っている人を助けたとき、自分がなすべきことをなしたと思う喜びであって、相手に喜んでもらったことを喜ぶとすれば、それは自分の利害の満足にすぎず、次の②に該当する。②心地よさ（これはdas Angenehmeの訳で、「快適」とされることが多いが、これは「快」の字を含むので、上位の類概念としての「快」と混同されかねないと考え、あえてこの語を選ぶ）とは、「知覚において諸感覚を満足させる［＝快］もののことである」とカントは定義している。空腹や喉の渇きを癒やすこと、暖かさ、排泄時の解放感などがそれだ。

そしてカントは③美について、「いかなる関心もなしに」生じる快とする（以上『判断力批判』第二版、一七九三年、第一部第一編第一章）。彼が「関心（Interesse、英語で言えばinterest）」と言うのは、対象の実存に向けられた欲求のことである。

例を挙げよう。私が右手に本物のリンゴ、左手に、そのリンゴの色と形を３Ｄプリンターで、見分けが付かないまでそっくりに再現したコピーを持っているとしよう。そしてあなたは、その二つの一方が本物で他方がコピーであることを知っているとしよう。もしあなたが、どちらが本物でどちらがコピーか、言い換えればリンゴとして実存しているか（本物）いないか（コピー）を知りたいという関心を持ったら、あなたはそれを食べて、そこから感覚の満足（快）を得ようとしている。この快が②心地よさだ。これは①の道徳的善の脇にある、行為者自身にとっての善すなわち幸福の一部と考えてよいだろう。

それに対して、もしあなたがそのような関心を持たずに、どちらが本物かを気にせず、もっと見（てい）たいと思ったら、つまりそれを見ていることに快を感じたなら、あなたはそのリンゴを美しいととらえているということだ。これがすなわち③美の快である。

図表1-3　快の三種

快
- ①善の快……人類普遍の道徳律の遵守
- ②心地よさの快…私にとっての善＝幸福…関心あり
- ③美の快……………………………関心なし

この区別はとても大切で、これなくしては、私に快をもたらすものはすべて美しいという暴論を斥けることができない。このように、美を心地よさから隔てるもの、これを美学研究者の言葉で「無関心性」と言う。

以上がカントの考え（を、私の言葉と考えを交えて説明したもの）だが、次に、私自身の言葉で心地よさと美の区別を試みたい。心地よさはカントも言うとおり、感覚の満足だから、あるもの（対象）がその満足をもたらす場合、それは感覚の満足という目的のための手段にすぎない。

たとえば、おにぎりという対象が空腹の解消という快を私にもたらす場合、目的はあくまでも私の空腹解消であって、おにぎりはその手段である。その証拠に、対象はおにぎりでなくサンドイッチであってもよいばかりでなく、空腹解消という目的が達成されれば、それが何によってもたらされたかは意識されなくなる。意識はひたすら私の空腹解消に向かっている。このように、心地よさにおいて、対象は快の手段である。しかも同じ目的のための手段は、小さければ小さいほどよい。

それに対して、人は美しいものを賛美する。他ではないその一つの対象が美しいのであって、掛け替えがきかない。また、快を感じるのが私であっても、その快はあくまでもその対象によってもたらされることが意識され続ける。しかもこの対象は大きく感じられ、小さければ小さいほどよいということがない。したがってその美しいものは快の意識の向かう先、つまり目的である。このように、快の意識の手段と目的という違いから、心地よさと美を区別することができるというのが、私の試論である。この考え方の我々にとっての利点は、「私に快と感じられる、もの（対象）のよさ」という美の定義によく一致することだ。

カントの無関心性理論によるにせよ、私の試論によるにせよ、美と心地よさは截然と区別される。ただし、我々が現実に感じている快がそのどちらかに一意的に分類されるかは別問題である。たとえば風景美はしばしば風や音の心地よさを含むし、上でも触れた美食の快は、心地よさ（空腹解消）と一種の美の快の両方にわたっているだろう。ちょうど、線路を走る列車と道路を走るバスが概念上別個の乗り物であることが、分類上そのどちらにも当たるＤＭＶ（Dual Mode Vehicle つまり列車兼バス車両）の出現によって脅かされることがないのと同じだ。

［4］美の快はどこから来るか

心地よさは感覚の満足であり、感覚は生命の維持に寄与するから、心地よさが生命体としての我々にとって正（プラス）の価値と感じられる（すなわち快である）のは自明である。では美の快はどのようにして生じるのか。ここでも、まずカントの論を見よう。彼は美の快を、想像力と知性の「自由な戯れ」と説明する。

ギリシャ神話に登場するケンタウロスを例に取ろう。上半身が人、下半身が馬の形をした想像上の怪物である［図表1－4］。

図表1-4　ケンタウロス（左）とラピテース

知性がこれをとらえるには、右のような言葉による説明に甘んじるしかない。それに対して、想像力は二つの部分を繋ぎ合わせ、一つの像を提示する。もし画家がそれを絵に描くと、知性は、上半身と下半身の形を確認して終わるだろう。しかし美の判定の場面において、画家の想像力がさらに活発に働いて生き生きとした美しい像を提示すれば、知性は「ケンタウロスとはこのようなものだったのか」と認識を新たにするだろう。このとき、想像力と知性は互いに縛ったり否定することなく、それぞれが活発に働いている。これがカントの言う「自由な戯れ」である。そして身体において、四肢や諸器官が活発に働いている状態が我々に爽快感をもたらすように、心の働きとしての想像力と知性がともに活発に働いている状態は、我々に快をもたらす。これがカントの考える美の快の原因である。

　我々としては、ここでも試論を提示しよう。美の快は、自己の拡張の感覚から来るというのがそれだ。美とは、それが世間一般で美しいとされる対象についてであったとしても、誰でも、いつでも感じることのできるものではない。美に疎いという人もいるだろうし、同じ人でも、状況によって美を感じる心が枯渇することもあるだろう。逆に、美を感じるには、ある程度自覚的に心がけたり、特に芸術の場合、訓練して経験を積んでおくことが必要だ。

　ということは、私が感じた美とは、私の獲得したものであり、それを獲得できたことは、一つの僥倖である。大げさかもしれないが、そうして獲得した美の分だけ、私は拡張している。すなわち、その美をとらえ得なかったかつての私に比べて、とらえ得た後の私は、その美の分だけ（これはときに極小であるかもしれないし、場合によっては極大であるかもしれない）立派な自分になっている。

この拡張が快をもたらす。この快は知や運動など、あらゆる成長の快と共通する一方、心地よさの快は自己の拡張を伴わない。

さて、カント理論と私の試論のどちらに依るにせよ、この説明から美の判定に関する一つの具体的な効用が得られる。それはカントが「伝達可能性」と呼ぶものである。すなわち、「私はこれに美を感じています」と私があなたに言うだけでは、あなたは、自分が同じ発言をしたときの状況と同じ状況を、おそらく私が指しているのだろうと推測することができるだけで、それを確かめることはできない。私の感じているものがあなたと同じであることを確かめる手立て、カントならそれを、想像力と知性が自由に戯れている状態と言うだろうし、私なら自己が拡張した感覚だと言う。

これは自分の反省にも有効だ。自分が或るものについて感じているのが美であるか、わからなくなったときに、美の定義に従って、私は自分の快をそのもののよさと感じているかどうか、あるいは逆転させて、私はこのもののよさを快と感じているか、の検証に加えて、第二の検証法として、想像力と知性の戯れが生じているか、あるいは自己の拡張が起きているかによって確かめることができる。これは第3講第3節［1］「美的質とは」で、美的質をそうでない質から区別する際に重要になるだろう。

第３節　美的判定の主観性と客観性

［１］美的判定の主観的普遍性

本講第1節で例に挙げた「この鉛筆は長さ一〇センチである」とする判定は、鉛筆という対象に即して検証可能であるゆえ、その判定は他人と共有することができる。すなわちこの判定は、客観的普遍性を有している。それに対して、「これは美しい」という判定は、我々の美の定義に従えば「これには、私に快と感じられるよさがある」あるいは「これは、私に快と感じられるしかたで、よい」と言い換えられる。つまりそれは、「これ」についての判定であるかぎり客観的であるが、「私に快と感じられる」かぎりで主観的・個人的であって、他人と共有することができないはずだ。では美の判定はいかなる普遍性もないかと言えば、それは違う。

その議論に入る前に、「主観（的）」、「客観（的）」という語について確認しておこう。「主観（的）」は、しばしば否定的な意味で用いられる。「それはあなたの主観にすぎません」と言われれば、「それは間違いです」とほぼ同義だ。しかし哲学で言われる「主観的（subjective）」、「客観的（objective）」はそれとは違う。前者は判定主体である私から見るということ、後者は判定対象に即して見るということである。

いつも授業で使う例を挙げよう。私が夕方、低くなった太陽に向かって西向きに立っているとしよう。私は左手の指をすぼめ、太陽光線と直角になるよう、顔の斜め上に挙げている。これは行為主体である私の側から見れば、手をかざして日を遮っているところと描写できる。

ではそこを通りかかった見ず知らずのあなたが、あくまでも客観的に（つまり他人事《ひとごと》として）この情景を描写するとどうだろう。それは、「あの人の顔面上部に影ができている」である（「あの人は手をかざしている」は、その状況を自分の過去の経験に重ね合わせているので、主観性を含んでいる）。このとき手をかざす私は自分の客観的状態を意識していない。主観的な見方と客観的な見方がきれいに乖離しているのである（私は卓抜な例を思いついたと自負し、毎年教室で嬉々としてこの問いを発しては、ワクワクしながら学生の反応を待つのだが、いかんせん私の期待に一致する答えはほとんど出ず、したがっておもしろがってもらえたためしはほとんどない）。

さて、議論に入るとして、私が「これは美しい」と発言したのに対して、あなたが同意しなかったとしよう。すると私は少しでも共感してもらおうと思って、「あなたが美しいと認めるあのものに、この点が似ていませんか」とか「ここがこんなによくできてるじゃないですか」とか、説明したくなるだろう。多くの人がそうなのではないだろうか。ということは、我々は美の判定において、何らかのわかり合い、すなわち一種の普遍性を信じているのではないだろうか。つまり、「これは美しい」という私の発言は、あなたにも、彼女にも、大きく言えば人類全体に、認められるべきものとしてなされているということだ。現実に皆に認められるかは別問題として、「これは美しい」と発言する私は、そこに普遍性を込めて発言しているということだし、その発言には、私から見ての普遍性があるということだ。カントはこれを「主観的普遍性」と呼んだ。

もしあなたがこれを疑うなら、私は反証を提示しよう。あなたは「個人的には、これは美しいと思う」という趣旨の発言をしたことはないだろうか。あるいは自分で言ったことはなくても、人がそう言うのを聞いたことはあるはずだ。この発言で「個人的には」は、一見すると冗語だ。判定しているのが「私」個人であるのは自明だからである。ではあなたは、あるいは彼は、なぜあえてこの限定を付けるのだろうか。それは、「これは美しい」という端的な発言に、相手に同意を求める響きが伴うゆえに、その押しつけがましさを避けようとしてのことではないだろうか。この例は、この言葉遣いをするすべての人が美的判定の主観的普遍性を信じていることを証している。

このことが意味するのは、我々が「これは美しい」という判定について論じる余地があること、そしてこの判定の構造への理解を深めれば、人がお互いの判定をよりよく分かち合うことができるであろうことだ。

［2］美の客観的説明方式

我々は、美の判定に、主観的要素（私に快と感じられる）と客観的要素（もののよさ）の両方があると主張しているのだが、どちらか一方だけで説明できれば、その方がずっとわかりやすい。特に、客観的に「これはしかじかという性質をもっているから美しい」と、対象のありさまに即して説明できれば、その性質を検証することで、対象の美しさが客観的に証明できるだろう。じっさいそのような説明は西洋で古来行なわれてきた。二つの代表的な例を挙げよう。

西洋人は、現代人を含めて、左右対称（symmetry を音訳してシンメトリーと言われることもある）を、美の要素としてとりわけ重んじる。私がその例として授業でしばしば挙げるのが、西洋の城郭建築である。大抵の城は左右対称の形をしている。それは純粋に美的判定の結果であるだけでなく、統治の平等さを象徴する意味があるかもしれないが、それとても、単なる理念の表明で終わるのではなく、目に見える美しい形に結晶してはじめて、人に訴える力となる。

さて、私の印象に残っているのは、スウェーデン、ストックホルム郊外にある、三階建てで幅五〇メートルほどの簡素だが美しい十七世紀の城だ。湖側を正面とすれば裏側の壁に、左右対称に窓が設えられている中で、よく見ると、三階右端の窓が本物の窓でなく、壁に絵で描かれているのである。その部屋は何らかの理由で窓を付けなかったわけだが、壁のまま残すことで外観の左右対称を崩してしまうのを嫌って、苦肉の策に出たわけだ。いや、このような例はどこにでもあるので、何も「苦肉」ではなく当然と思ってのことかもしれない。いずれにせよ、西洋人の左右対称への志向はこれほど強い。それが一部欠けていると、いかにも落ち着き悪く、美を損なっていると感じられるのだろう。

美の客観的説明のもう一つの例は、西洋音楽における協和音程の理論である。現代で言えば、五度（たとえばド－ソの関係）、長三度（たとえばド－ミの関係）、短三度（たとえばミ－ソの関係）などは協和音程で、二度（ド－レの関係またはミ－ファの関係）、増四度（ド－ファ♯の関係）などは不協和音程である。両者の差、すなわち協和／不協和は、二つの音が一つの響きに溶け合って聞こえるか、要するに快い響きとなるかにある。協和音程の理論には、古代ギリシャのピュタゴラス派の人々が集中的に取り組み、整合的な理論を構築した。その基本となるのが、彼らが協和音程とするオクターヴ（八度とも言う。低いドと高い・ドの関係）、五度（低いドとその上のソの関係）、四度（ド－ファの関係）の三つを、(n+1)：n（nは3以下の自然数）という公式で説明できるとする理論である。

彼らに倣って弦の長さで説明すれば、たとえば全長六〇センチの弦において、n＝1のとき、2対1の比は六〇センチ対三〇センチの値を取る。このとき、六〇センチの弦から低いドの音が出たとすると、三〇センチの弦からは一オクターヴ高い・ドの音が出る。クラシック・ギターで言えば、棹が胴と交わる辺りの第十二フレットを押さえると、開放弦の一オクターヴ上の音が出るが、これがちょうど弦の半分の長さだ。次にn＝2のとき、3：2の比は六〇センチ：四〇センチの長さで、低いドから五度上のソの音が出る。ギターの第七フレットだ。最後にn＝3のとき、4：3の比は六〇センチ：四五センチの長さ、ドから四度上のファの音、ギターの第五フレットである。それを図示したのが図表1-5である。

以上はあくまでも客観的な物理現象の説明であって、相対性理論でも持ち出さないかぎり、普遍的に妥当する。ならば、古代ギリシャの協和音程すなわち聞いて快い響きは、すべて弦の長さという対象の性質で説明し尽くせる、かに見える。もしそうだとすると、美が客観的に、しかも簡潔極まりない公式で、説明できたということだ。たしかにピュタゴラス派の人々はそう考え、この理論を拡張して、森羅万象を数で説明しようとした。

しかしこの協和音程理論にも、左右対称性にも、一つの隠れた要素が前提として働いている。主体の判定である。西洋人が美の説明においていかに左右対称を重んじるかは前述したとおりだが、よく考えてみると、それは、多くの西洋人が左右対称であるものを美しいと判定する事態を言っているにすぎない。その証拠に、日本の伝統的美感では、必ずしも左右対称が重視されない。

協和音程にしても、オクターヴ、五度、四度を協和音程とするという、古代ギリシャ人の決定が暗黙の前提になっている。現に、近代の西洋音楽では、四度より長短の三度が好まれるし、日本の伝統音楽では、そもそも和音への関心が西洋ほど高くない。つまり、協和音程をこの三つと定めるのは、古代ギリシャ人に特有のことである。そしてそれは、彼らがこの三つを美しい響きと判定した結果であり、もっと言えば、彼らが普段聴いている音楽において、この三つが重用されていた事態の反映にすぎない。

これはちょうど、最も美しいと思う顔の人気投票を行ない、一位の人について数値的分析を施した結果を、美しい顔の客観的性質と言いなすようなものだ。このように、一見客観的に見える美の説明は、主観的判定という隠れた前提に立っている。つまり、純粋に対

図表1-5　音程と弦長の対応

ギターのフレット	上駒	5	7	12	駒
弦長(cm)	60	45	40	30	0
縦長比		4:3	3:2	2:1	
音程		4度	5度	オクターヴ(8度)	
音高	ド	ファ	ソ	ド	

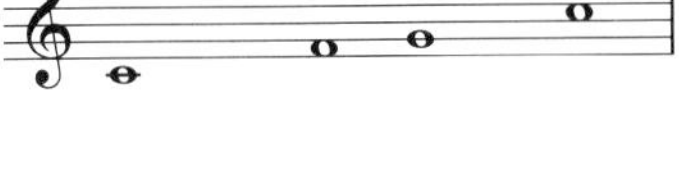

象に即した客観的な美の説明は、理論的に破綻している。

ただしこの破綻は、西洋人にせよ、古代ギリシャ人にせよ、集団の内部に身を置く人には気づかれようもなかっただろう。左右対称の重視も協和音程の範囲づけも、他の集団における別の判定があることを知って初めて、それが集団固有の主観的判定であることに気づかされるわけで、それなしには、自分たちの判定がことがらの本質に立っていると信じても無理はない。このような本質主義の危険は、視野を広げ多様性を認めることで、ある程度は避けられるが、人間が全知でない以上、原理的に免れることはできない。

ところで、この二つの例は、西洋で古来、美の説明として最も有力であった「多様の統一」の異なる表われである。すなわち左右対称のものは、中心線から折り返すと左右がピタリと重なることを目が把握するわけだから、物理的には左右別々（多様）であるものが我々のとらえ方において一つになっている（統一）。他方、協和する二つの音も、物理的には別々の音（多様）でありながら、聞く者の耳には一つの響きととらえられる（統一）。多様の統一は、一見対象に内在する性質のようだが、右の説明でも「とらえ方」、「耳」とあるとおり、主観の判定が介在している。左右対称の場合、「中心線から折り返す」のは、想像上のことだ。つまり多様の統一は、客観的多様性と主観的統一性から成り立っている。心理学では、この心の働きを「プレグナンツ（Prägnanz）の傾向」と呼ぶようだ。

すでにあなたは気づかれたかもしれないが、多様性は対象（もの）に属し、統一性は判定する私に快と感じられるわけだから、美を「多様の統一」として説明する理論は、我々の美の定義「私に快と感じられる、もののよさ」の一局面に相当すると考えることができる。

「多様の統一」の考えが我々にとってもう一つ興味深いのは、先取りになるが、第4講第2節［1］「多を一とする感性」で述べる「感性の統合作用」に関係するからである。物理的に多様な要素が感性において統一されるという事態は、苦みと甘みという二つの物理的要素を、感性が統合して「苦甘さ」という一つのあじわいととらえるのと同じ構造をしている。

以上、美の客観的説明の不完全さまたは短所を指摘したが、無論長所もある。それは「これは美しい」と判定される「これ」について説明しようとする点である。ある対象が、たとえば長いと判定されるなら、その根拠を、対象に即して提示してほしいというのが、人の自然な発想だろう。それに対して、美の判定において、その根拠は私の快にあるという我々の考えは、直観的なわかりやすさにおいて劣っている。

しかし、では我々の美の定義は全面的に客観性を放棄しているかというと、そうではない。左右対称性や協和音程理論の客観性は対象のありさま、内容を説明していた。対象がこれこれという性質を有していれば美しい、という論法である。これを内容的客観性と呼ぶことができよう。この論法が破綻しているのは、先述のとおりである。それに対して、「もののよさ」を「私の快」で測る考え方は、「もの」についての判定という形のかぎり客観的であるが、その「もの」がどのようなありさまをしているか（どのような性質をもっているか）の内容に踏み込まない。これは形式的客観性と呼べるだろう。しかし依然として、これが対象の美しさの説明として物足りないことは否めない。どのようなものが美しいかの判定の是非は問えないと言っているからだ。

［3］美の主観的説明方式

では、純粋に主観的な美の説明はどうだろう。つまり、対象のありさまを一切問わず、主体による判定の部分にだけ光を当てる説明方式だ。ここでまたカントを引き合いに出すと、彼は美の判定能力を「趣味」と呼ぶ（ただし、これはカントの始めたことではない）。この「趣味」は英語のhobbyではなく、taste（ドイツ語ではGeschmack）に当たる。「彼女の服装は趣味がよい（英語で言えば、She has good taste in dress.）」と言うときの「趣味」だ。これは服装の選択が、経済的とか倫理的によいことではなく、広い意味で美的に優れていることを言っている。

ここで、Geschmackもtasteも、もともと「味覚」を意味することは重要である。美的判定を、諸感覚の中でも、視覚でも聴覚でもない味覚の働きになぞらえているからである。味覚は、食べ物の味を微細に感じ分ける繊細さを有するだけでなく、おそらく多様な物質を直接体内に取り込む摂食行為との関係からであろうが、感じ取った味に必ず「おいしい」（快）か、「不味《まず》い」（不快）かの判定を下す（上の空で食べるときは、その判定を意識しないだけだ）。つまり、食べるもののよしあしを、食べる私の快・不快で判定するのである。これは、まさに我々の美の定義「私に快と感じられる、もののよさ」に一致する。

もう一つ、他の感覚では、「よい匂い」、「耳障りのよい音」、「絶景」のように、一般的な形容詞を限定的に用いることで、その感覚の快を特定するしかないのに対して、味覚には「おいしい（英語なら tasty（!)、delicious、ドイツ語なら lecker)」という、味覚固有の快を表わす形容詞がある。この点でも、感覚の一つとしての味覚と、快の一つとしての美は通じるところがある。

さらに、先ほど「彼女の服装は趣味がよい」という例文を挙げたが、趣味について良し悪しが言えるのは、そこに一つの普遍的尺度が想定されているからである。尺度がなければ優劣を測ることはできず、またその尺度が人と共有されていると信じられなければ、自分の判定を人に語る意味はない。したがって、趣味の判定には、主観的普遍性がある。

最後に、趣味の美論は人ごとの偏差と時代や状況による変化を許容する。ラテン語のことわざに「趣味について論じることはできない（De gustibus non est disputandum）」と言うように、この人の趣味とあの人の趣味を比べて客観的優劣を論じることはできず、事実として、異なる趣味が並存してかまわない。これは趣味の良し悪しを語る際の主観的普遍性とは矛盾しない。ちょうど、新聞が（主観的に）中立公正な報道を目指しながらも、各紙の報道内容が（客観的に）異なるのと同じだ。これは個人や会社からもっと大きな集団に拡張できるから、民族や地方ごと、時代ごと、社会階層ごとに趣味が一定でないことを許容し、多くの人が美の理想とするものが空間的、時間的、社会的に異なることをうまく説明する。

美的判定を味覚になぞらえる「趣味」の美論はこのように、つかみにくい対象を身近なモデルで説明することによる、わかりやすさを長所としている。その反面、この説明方式は、対象の内容（ありさま）については一切語らないのだから、客観的説明方式にあった、対象に即するという長所を完全に欠いている。美しいものの説明であるはずのものが、美しいもの自体について語らないという、言うなれば責任放棄を犯しているのである。これは当然、我々の美の定義の弱点でもある。ただ、前述のように、この定義が形式的とは言え、客観性を保持していることは忘れずにおこう。

こうして、美の純粋客観的説明と純粋主観的説明が、どちらも完全ではなく、それぞれ長所と短所を有することがわかった。我々の主観的・客観的美の定義も、それらを分有している。その長所は、純粋客観的美論の理論的破綻を回避し、純粋主観的美論が放棄した責任を、わずかなりとも果たす点であり、加えて、美を快でありかつもののよさと感じる我々の経験に即する点であろう。他方、その短所は、「もののよさ」を説明するに「私の快」を以てする、いわばねじれの関係から来るわかりにくさであろう（これについては、本講の補講「人を超越する美　プラトンの思想」も参照していただきたい）。

我々は本講第1節で提示した美の暫定的定義を、第2、3節で検討してきた。結論として、「美とは私に快と感じられる、もののよさである」という美の定義を、完全とは言えないが妥当なものであるとしよう。

補講1　人を超越する美

プラトンの思想

第1講では、快という人の経験から美を説明してきた。それは、第1節でも述べたように、自分で感じることなしに何かを美しいと言えば、嘘をついた気がするという我々の感じ方によく合っている。他方、美しいものは、まさに美しいからこそ、我々がどう思うかなどとは無関係に厳然と存在している、そんな考えもまた、我々は理解できるのではないだろうか。現に、美しい芸術作品にせよ、美しい風景にせよ、美しい人にせよ、見る人、接する人がいるかいないかという偶然性を超越して、あるべきところにある、我々はそう信じ、時には心の支えにすらしているのではないだろうか。

このように、人の経験を超越した存在論的、形而上学的な論法で美を説明する理論は、西洋の古代、中世の哲学の中で主流を成した。代表的な例として、古代ギリシャの哲学者プラトン（Platōn, 427–347 BC）は、対話篇『饗宴』において、有名なイデア論の立場から、「美そのもの」を次のように説明している（『饗宴』二一〇E―二一一A、久保勉訳、岩波文庫、一二五頁）。

> それは常住に在るもの、生ずることもなく、滅することもなく、増すこともなく、減ずることもなく、次には、一方から見れば美しく、他方から見れば醜いというようなものでもなく、時としては美しく時としては醜いということもなく、またこれと較べれば美しく彼と較べれば醜いというのでもなく、またある者には美しく見え他の者には醜く見えるというように、ここで美しくそこで醜いというようなものでもない。

ここでプラトンが、執拗なまでに否定文を重ねて強調するのは、本当の美が我々の経験を絶しているということだ。なお、文脈から離れるが、この「本当の美」は「真の美」と言いたいところなのだが、たとえば「真の理解」は「本当の理解」であるのか、「真なるものの理解」であるのか、区別がつかないことがある。そこで本書では「真の」を使わず、いささか不格好ではあるが、「本当の」か「真なるものの」かのいずれかに振り分けることとする。

たしかに、彼の哲学体系において、すべての真実在つまりイデアは経験を超越している。教室の講義でと同じように、三角形を例に取ろう。たとえば私がチョークで黒板に描く三角形の線には幅があり、曲がっている。では次に、コンピュータの画面上で作図すると、少なくとも目に見えるかぎりでの曲がりはなくなるだろう（顕微鏡的に見れば、それは不連続なドットの並びにすぎませんという話は、ここでは措こう）。しかし三角形を構成する線は、幅がある限り、厳密に言えば面なので、線は細ければ細いほどよい。それを極限まで推し進めて幅をなくすと、ようやくそれが、本当の三角形、真に三角形である三角形、つまり三角形の真実在だ。

　ところがあなたもお気づきのように、この「三角形」はもはや目に見えない。すなわち、本当の三角形は、我々の頭の中で、理解という形でしか存在しない。この「理解」こそがイデア（idéa）にほかならない（英語のThat's a good idea. という言い回しにおいて、頭の中にあってまだ実現されていない着想あるいは理解という意味で、このギリシャ語の意味は正統に受け継がれている）。念のため、図示しておこう［図表1－6］。

　とはいえ、私が黒板に書いた図形を、人が親切にも三角形と認めてくれるのは、それが不完全にもせよ、三角形の本質に与っているからである。たとえば、線らしきものは四本であるよりは三本に近く、二つの「線」の継ぎ目も、円よりは角に近い。このようなことすべては、あらゆる存在に当てはまる。

　しかし美は、まず我々の感覚に強烈に働きかける点で、他の存在、とりわけ人の目指す他のよさ（たとえば真と善）を凌駕している。言い換えれば、我々の経験に最も近い。ところがほかならぬその美も、「美そのもの」において、人の経験を超越しているというのが、右の引用文の趣旨である。本当の美は、人の経験とは無関係なとこ

図表1-6　目に見える三角形と三角形のイデア

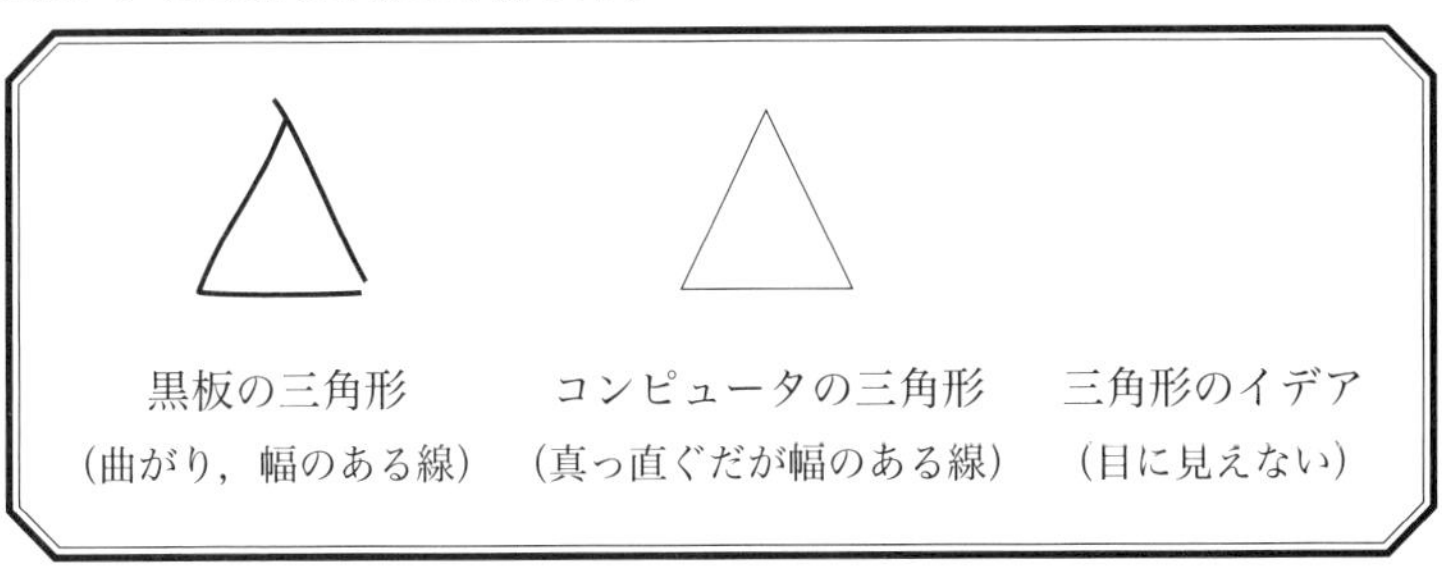

ろに、凛として存在する。

とても魅力的な思想だ。美しいものに接したときの、何か大きなものに触れたという感懐とも合致して、私も若い頃、大いに共感した。しかし年を経るにつれ、徐々に不満を感じるようになった。

第一に、我々の経験できない真実在を頂点とする実在の体系において、経験の埒内にある同種の存在甲と存在乙との異なりは、不完全さの差でしかない。たとえば、あるべき本当の辞書があるとして、現実に存在する辞書甲と辞書乙とで、同じ単語の定義はたいてい異なっている。これはイデア論の説明では、甲、乙双方における、「真実在」すなわち本当の定義からの隔たり方の違いでしかないことになる。完全であれば甲乙一致すべきところ、それに到達していないがゆえに、双方の違いが生じるというわけだ。その違いは、図表1-7が示すように、なければないほどよい、いわば誤《あやま》りの程《ほど》だ。

しかしながら、現代の我々の感じ方からすれば、ものであれ人であれ、違い（まさに多様性だ）はそれぞれの存在が個であることの帰結として、むしろ尊重される。社会的活動において、個を尊ばず、普遍のみを重んじる考え方は全体主義と呼ばれて、現代では嫌われる。社会活動においてすらそうなのだから、況んや美の問題におい

図表1−7　イデア論における現実存在同士の違い

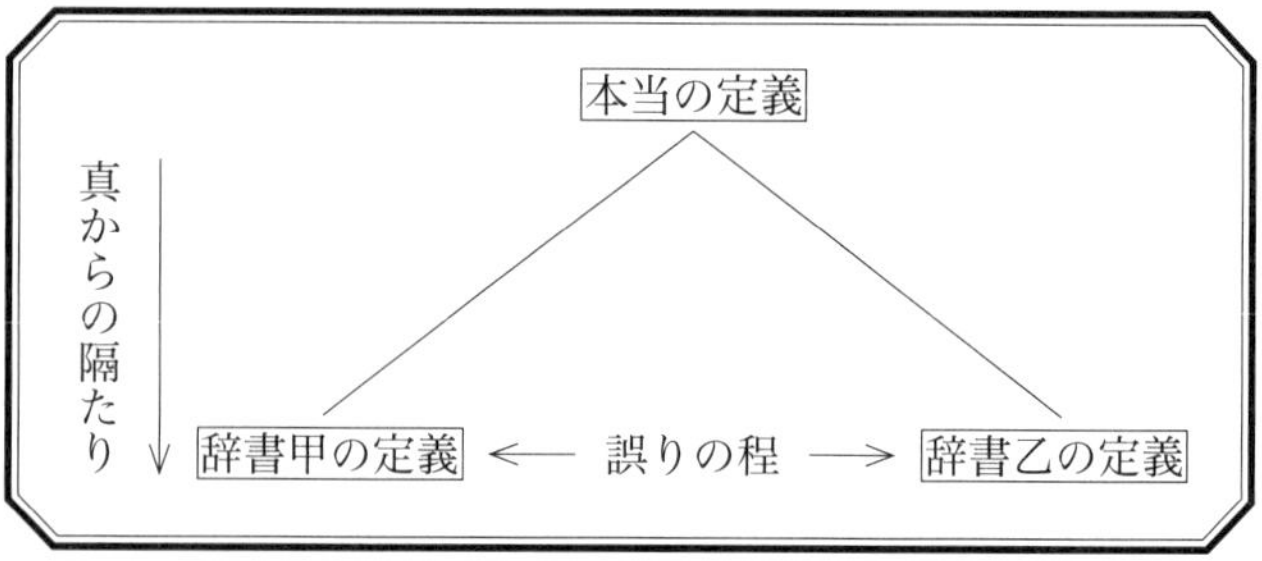

てをやである。

プラトン式美論への第二の不満点は、究極の美を唯一不変と見ることである。これは多様性を重んじる現代の考え方に反するだけでなく、美の理想が同じ民族や集団においてさえ、時間的に変化するという我々の常識にも抵触する（平安美人と現代美人を考えていただきたい）。特に現代においては、第3講第3節［3］「現代の美的質」でも述べるとおり、この変化は、ときに驚くほど速い。

第三点は、目の前にあるものの説明に、なにも、目に見えないものを持ち出さなくてもいいんじゃない、という素朴実在論的な反論だ。これへの再反論は意外に難しい。先ほどの三角形の例でも、目に見えないものは、そんなの三角形じゃないよと言われるかもしれない。

我々としては、プラトンの美論にこのような違和感を覚えるのだが、逆に彼の側からすると、近代の経験主義的美論は、論じるにすら足らない下劣な考えと映るだろう。特に問題なのは、美という大いなるものを、人の身の丈に切り取って矮小化する点だ。たしかに我々は、ものが美しいかどうかを、私がそれに快を感じるかどうかで決めると説明した。それは譬えようによっては、「ぼくちゃんがいいと思うからこれはいいの！」と言い張るようなもので、凡そ幼稚な論法と見える。

また、もの（対象）は私とは無関係に、私の埒外に、立派に存在しているのに、我々の考えでは、それに敬意を払うどころか、そのよしあしを自分の満足で測ろうというのだから、この態度は僭越であり、またその測定が正当であるかは問わないとさえ言っている（本講第3節［3］）のだから、傲慢極まりない。そして傲慢とは、己の卑小さの忘却である。相手が美という大きな価値であれば、この対比はなおさら際立つ。

このように、プラトン流の形而上学的美論と近代の経験主義的美論の双方に、それぞれ長所と短所があることがわかった。およそ理論の優劣は、理論自体の整合性と、その理論によって説明できる事象範囲の大きさ、すなわち射程による。整合性については、プラトンに軍配が上がるだろう。なぜなら、彼のイデア論は（上の不満の第三点はあるとしても）理論として一貫しているのに対し、我々の経験主義的、主観的かつ客観的な美論では、対象のよさを我々の快で測るというねじれの関係に、わかりにくさがあるからだ（本講第3節［3］では「責任放棄」とまで言った）。他方、理論の射程は、人が何を説明したいかに依存する。我々の場合、経験主義に立つ近代科学との整合性という一般的事情に加え、自分で感じ考える美学を目指す本書としては、どこまで腑に落ちるか、つまりは我々自身の経験との合致度が重要だ。この点、経験主義的美論の射程が広いのは当然である。

この補講で私が言いたかったのは、第1講（本書全体と言ってもよい）の美の説明が、あり得る理論の一つであり、その中から我々の目的に従って選び取ったものにほかならないということだ。

第2講　三大価値の中の美

本講では西洋近代的三大価値である真・善・美の思想を扱う。「価値」とは、よさであるから、西洋近代的三大価値とは、多くの人が認めるよさであり、生きる中で達成したいと考える目標でもある。西洋近代的価値観において、それは真と善と美である。それはどのような考え方であり、美の問題といかに関係するのだろうか。

第1節　三大価値とはどのような考え方か

内容の検討の前に、まず語の用法を整理しておこう。価値とはよさであるとしたが、その内訳である真・善・美の「善」もよさだ。そこで、本書では価値一般を表わすには「よさ」、「よい」とひらがなで表記し、倫理的、道徳的なよさを表わすには「善さ」、「善い」と漢字を用いて区別する。

また、「三大価値」が三つ個別の価値であることを忘れないために、私の言葉として用いるときは、煩瑣ではあるが中黒（・）を入れて「真・善・美」とする。

［1］概念の歴史と現代日本語での用法

三大価値「真・善・美」の起源は西洋哲学にある（そこに、十八世紀半ばの美学の成立が不可欠の役割を果たしたことは、本講第3節［4］「美の自律性と美学の成立」で明らかにする）。哲学者加藤信朗は『日本大百科全書』「真善美」の項目で、この概念がカント哲学の影響によって成り、十九世紀後半から二十世紀前半のドイツで勢いのあった新カント学派を通じて日本に移入されたと推測する。それは年代上、『日本国語大辞典』第二版「真善美」の挙げる文献初出が一九〇一年、与謝野晶子の歌であることとも符合する（この歌については、すぐに次項で分析する）。そして真・善・美は、心の働きとしての知性、理性、感性に対応している。知性とは、ものごとを知りわかる働き、理性とは、行為を律する働き、感性とは、感じる働きである。この三つは、二番目と三番目を入れ換えて「知情意」とまとめられることがある。ただし、一見仏教用語か儒学用語として古くからあった日本語のようだが、文献初出は一九〇三年の国木田独歩の用例のようで（『日本国語大辞典』第二版）、起源と移入経路は「真善美」と同じかもしれない。ともかく、心の三つの働きがそれぞれ独立にとらえるよさが、真・善・美である。

さて、三大価値の思想がこのように西洋近代に発するならば、西洋以外、あるいは西洋でも近代以外では、価値観の内容が違うかもしれない。事実日本において、江戸時代の武家社会では「忠」が最高の価値と認められていただろうし、明治政府においては、「強」がその位置を占めただろう。また次の第2節「「三大」の意味」で詳しく見るが、大価値が三つであるのも、決して人類普遍の法則ではなく、むしろ一つの絶対的価値を定める方が自然だ。もちろん、諸価値を序列化しない考えもあり得る。

ところで、日本語「真・善・美」は固定した成句として我々に馴染み深いが、西洋語にはこれに相当する言い回しはないようだ。ためしに研究社『和英大辞典』第五版で「真善美」の項を見ると、truth, good and beauty; the true, the good and the beautiful という訳が掲げられている。しかしこれをOED（The Oxford English Dictionary）Online で検索しても、ヒットするものはない。つまり和英辞典の訳は、おそらく日本語の概念を英語によって説明しているにすぎない。そればかりか、西洋語の大規模な哲学事典や概念史事典にも、これに相当する見出し項目はおろか、索引項目も見当たらない（これは、前出『岩波哲学・思想事典』も、『哲学・思想翻訳語事典』増補版も同様だ。唯一の例外として、一九七一年刊の平凡社『哲学事典』がこの見出しを立てているが、新カント学派のヴィンデルバントの思想の紹介に終始している）。おそらく、十九世紀後期に西洋哲学の一部で流行った思想が二十世紀初頭の日本に入って定着した一方、西洋では廃れてしまったということだろう。

［2］長所と短所

この思想の明白な短所は、固定性である。心の働きを知・情・意の三つに切り分けることができるのか、そもそも「心」というものがあるのか、現代の哲学、心理学、生理学はいくらでも反証を提出するだろう。そして「三大」価値を語ることのうちに、それ以外の価値を否定するか、少なくとも従属的なものと見下すことが含意されている。これはすなわち、少数派を抑圧することである。

また、「三大」と振りかざす大仰さには、欺瞞の臭いがする。そこを衝いたのが前に言及した与謝野晶子の歌である。晶子二二歳の一九〇一年に刊行された歌集『みだれ髪』に収められている。実は私は、『広辞苑』第七版「真善美」における引用でこの歌を知った。

かくてなほあくがれますか真善美　わが手の花はくれなゐよ君

ここで言う「君」は、後に夫となる与謝野鉄幹である。「かくてなほ」は、「わが手の花」（この「わが」は鉄幹を指すだろう）が「くれなゐ」である状態、すなわち晶子が目の前で愛に燃えている状態を指すと思われる（「よ」はその臨場感を高めている）。その「わが手」との対比を表わすのが「あくがれ」である。憧れとは、ここにないものに惹かれ、それを求めることだ。現にここにある愛よりも、ここにはない「真善美」を重視する鉄幹に、晶子はそれでも（「なほ」）「あくがれますか」と、正面から疑問を投げかけるのである。晶子の鋭い感性が、真・善・美の思想の胡散臭さを的確に言い当てている（ただし晶子が直接に念頭に置くのは、不倫を悪とする常識的価値観だろう。鉄幹がそれに縛られている様が、晶子にはもどかしかったに違いない。しかしその呪縛自体が「真善美」の理想から来ていることに違いはない）。

　ここにあると感じられない、したがって人があえて検証しようとも思わないというあり方は、イデオロギーというものに通有の危うさで、多くの人に共有されればされるほどイデオロギーは透明化し、知らず知らずのうちに人の考えや行動を支配するようになる。晶子が指摘するように、真善美の思想には、このような危険性がある。

　そのような欠点を抱えながら、真・善・美の思想には長所もある。まず、美とは直接に関係しないが、真と善を別箇の価値と認める点だ。これは、自分の行為をすべて知性の検証によって律することができるという思い上がりを（こんな風に考える人は、現にときどきいる）防ぐことができる。たとえば、人を殺してはならないという命題がもし知性によって真と証明されなければ、人はそれを守らなくてよいという暴論に対して、この思想は、善悪の判定が知性の埒外にあることを教えるだろう。

　次に、本書第6講第3節［3］「芸術の自律性」で詳述するように、芸術の自律性は美の自律性の思想に支えられているが、この美の自律性は、真・善・美の思想に含意されている（本講第3節［4］「美の自律性と美学の成立」を参照）。芸術の自律性は、現代でも「表現の自由」の形で尊重されているので、真・善・美を否定すると、表現の自由も脅かされる。なお、三大価値の思想は、知性・理性・感性を、互いに独立した心の働きとするが、一定期間いずれか一つだけが働いていると考える必要はない。意識的、無意識的に二つの働きが、時には瞬時に、交替し合って働いていると考えるのが、経験に即する。したがって、美の自律性の考えが、必ずしも「表現の自由」の暴走に繋がることはなく、逆に心のスイッチを適宜知性と理性に入れ換えることによって、穏健な判定を追求することはできるだろう。

最後に、前述のような欠点にもかかわらず、我々がこの思想に就く理由を述べよう。真・善・美は、前述のような哲学事典における無視の一方で、国語辞典類には必ず取り上げられている。たとえば比較的小規模な実用辞典『明鏡国語辞典』第三版は、「真善美」を次のように定義する。

> 認識上の真と、倫理上の善と、審美上の美。人間の理想とされる三つの価値概念をいう。

「審美上の美」という説明には、美の定義の難しさが表われているが、それはともかく、真・善・美の思想は、実用辞典にも取り上げられるほど、多くの日本語使用者に浸透している（私の勤める成城大学は、創立者澤柳政太郎が建学の精神とした「真善美」の追求を、百年後の現在も理想としている）。これは、大きな長所である。我々としては、この思想が現在でも日本社会に生きているのに引き替え、これに代わって人々の理想をわかりやすく教える思想が未だないと見て（ＳＤＧｓは個人より社会に焦点がある）、美について考える手がかりとして、前述の欠点や危険に注意しながら、真・善・美の思想を用いることにしよう。ニュートン力学が、相対論や量子論に修正された後でも、高校や大学一般教育科目としての「物理」で教えられ、ほとんどの実用的計算に用いられている現状を考えれば、あながち愚案とは言えないかもしれない。

第2節―「三大」の意味

「三大」は①十大や百大でないこと、②一大でないこと、そして③二大でないことを含意する。以下、それぞれについて検討しよう。

[1] 百大でない

人が「よい」とする価値は多様だ。「健康が一番」という人もいれば、「いや、死後の名声だ」という人もいるかもしれない。あるいは同じ健康の中でも、身体運動の円滑さを求める人もいれば、心の平静を願う人もいるだろう。このそれぞれが、求められるよさであり価値である。このような多様な価値をなるべく少数に還元して、わかりやすくまとめようとするのが三大価値の基本的な考え方だ。たとえば今の例で「円滑さ」と「平静」はまさに「健康」にまとめられるし、その健康は名声と合して「幸福」に包摂され、幸福は他者への献身と合して最終的に「善」にまとめられる。真と美についても同様である。この構造は図表2‐1のように表わされる。

図表2-1　三大価値

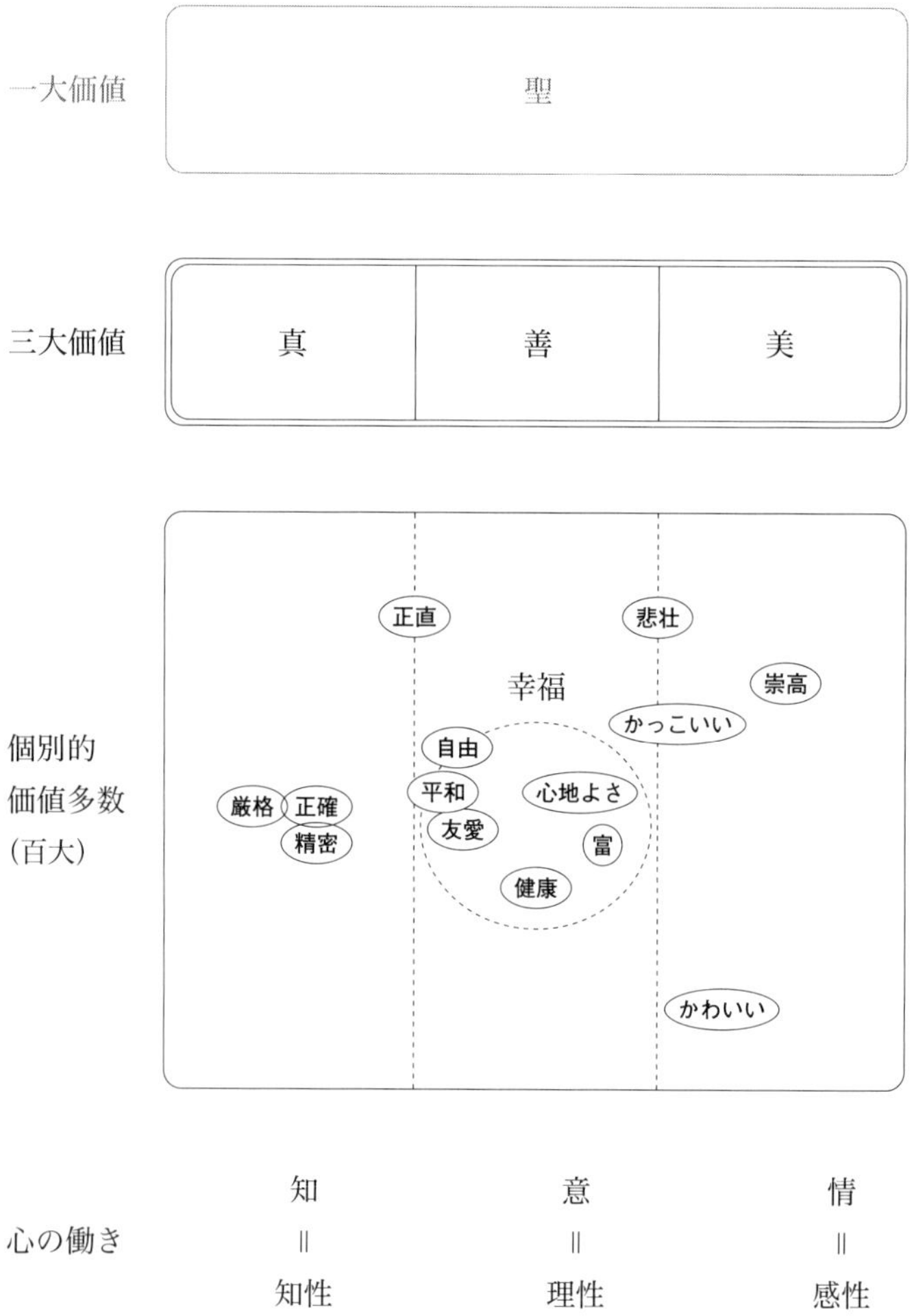
一大価値
聖
三大価値
真
善
美
個別的
価値多数
(百大)
正直
悲壮
幸福
崇高
かっこいい
自由
平和
心地よさ
厳格
正確
精密
友愛
富
健康
かわいい
知
意
情
心の働き
‖
‖
‖
知性
理性
感性

ここで、「個別的価値多数」の欄で、「正直」が上の位置、「かわいい」が下の位置にあるが、それは価値の上下を表わさないものとする。また「厳格」と「正確」が一部交わり、「平和」、「友愛」などが「幸福」という善の下位範疇に包摂され、さらに「正直」が真と善に、「悲壮」、「かっこいい」が善と美にまたがっているが、それは真・善・美と知・情・意の分類自体を脅かすものではない。なお、第1講第2節［3］「美と他の快」で見た「心地よさ」は、私にとっての善すなわち幸福の一種と見ることができる。要するに、「三大」は個別的価値をまとめていった結果、これ以上にはまとめられないという、最終的段階を表わす。

［2］一大でない

「三大」が「一大」でないということは、三大の上に、それらをさらに一元化する絶対的価値を置かないことを意味する。ここで想い起こされるのが、十九世紀フランスの哲学者クーザン（Victor Cousin, 1792–1867）だ。彼はその名も『真美善論』（一八五三年初刊後、多数の版を重ねたが、残念ながら日本語訳はないようだ）と題する講義録において、真、美、善のそれぞれを独立の人間的価値として論じた後、神にかかわる「聖」の価値を、それらの上に立つべきものとして掲げている（前出ヴィンデルバントも同様らしい）。自ら「折衷主義」を標榜するこの人らしいやり方だが、西洋中世の神中心の世界観では、全く当然の考え方だし、先ほど触れた明治日本の為政者は、他のいかなる価値にも優先して、国が外国の支配をはね返す強さを持つことがまず大切だと考えただろう。

その場合、真や善や美は、強さに繋がるかぎりで認められるだろう。これは価値一元論の思想である。

ところで、先ほど価値の説明で言及した「よさ」は、やまとことばにおける一元的価値を表わしている。つまり、それ以上、それ以外に、価値を包括的に表わす語はない（本書で、価値一般を「よさ」と表記して、道徳的なよさとしての「善」から区別するのは、このためである）。その証拠となるのが、人名（姓・名の名、英語で言えばgiven name）の表記である。

日本人の名は漢字と読み（訓）の二つから成る（ただし現在のところ、戸籍には漢字のみが記載される）。私の場合、「英輔」と「えいすけ」だ。漢字とはもともと中国語だから（私の名は、現代中国語では「イーフー」と発音するそうだ）、日本人は固有の日本語（やまとことば）と、それとは別系統の言語である中国語の両方で、しかも両方を一体のものとして、自分の名を表わすという、ちょっと世界でも類例のない方法を取っている。これはたとえばギリシャ語でἸωάννηςと表記される名が、ラテン語ではJohannes、英語でJohnに変わるのとは訳が違う。綴りを基本的に引き継ぎながら、異なる発音をしているだけだからだ。逆に、読みをアルファベットやハングルで表記するのは、同じ発音を異なる文字体系に移しているにすぎない。また多くの香港人は英語名を持っているが、必ずしも漢字名との関連はないようだ。

日本人名の二重一体構造は、言うまでもなく古代から続く音訓法の産物だが、見方を変えれば、やまとことばを中国語に翻訳した結果でもある。第二次世界大戦後、当用漢字の制定に伴って音と訓の対応が整理された中で、人名については、通常の読み書きより多様な対応が認められている。

つまり、平安時代以来の長期間の慣習で蓄積された多様な中国語訳（無論、これは日本化された中国語だ）がそこに見られるということだ。

さて、前置きが長くなったが、やまとことば「よい」の多様な中国語訳は「よしこ」、「よしお」の「よし」の多様な漢字表記に見出される。私の漢字変換ソフトでは、「よしこ」については、美、祥、佳、嘉、好、良、淑、喜、善、芳など、「よしお」については善、好、吉、芳、良、義、孝、好、由、嘉などが候補とされる。名とは、生まれた子に、親が託する理想を表わすものであり、特に「よし」の場合、いかなる意味で「よい」子であってほしいかを、漢字で表現しているわけだから、見方を変えれば、類としての「よさ」を中国語の目で区分した中の最も重要な種がそこに名指されている。女性における美や淑、男性における善や義がそれで、日本人の伝統的価値観をここに見ることができよう。本題に帰れば、中国語ではこれだけの種類に区分される価値が、やまとことばでは、一大価値「よさ」に包摂されているということだ。

三大価値の思想は、このような多種のよさを三つまでまとめるが、さらにそれを一つのよさにまとめることには進まない態度を示している。

［３］二大でない

「三大」が「一大」でないことを述べた上で、「二大」でないことをわざわざ言うのは、真、善、美のどれかが、他の一つに従属することなく、おのおの自律性を有していることを強調するためだ。

これは特に美に関わる。「美しいから、善い」という説明を必要とせず、美を自律的価値と認めるということだ。真と善に関しては、どちらが上に立つかの議論は、あるとしても当該の世界観の表明と一体で、哲学的議論の埒内に留まることが多いだろう。

それに対し、美の自律性は、社会活動と関係する。第6講第3節［3］「芸術の自律性」で詳述するが、美の追求活動が「芸術」として自律性を獲得する十八世紀後期以前の西洋において、現在我々が芸術と呼ぶ営み、たとえば絵画や音楽は、それ自体の美しさゆえに是認されたのではなく、教会にあっては人々の信仰心を深め、宮廷にあっては君主の威厳を高めるものとして、あるいは子どもの教育や大人の娯楽に有用なものとして、要するに何らかの目的（すなわち善さ）を果たすかぎりで是認された。つまり美は自律的でなく、善に従属する価値であった。

そのことは、「美しい」を意味するラテン語 bellus の語源と語誌からもうかがえる。この語は bonus（よい、善い）、bene（よく）と共通の語幹 ben- に縮小語尾 lus が付いてできたもので、語源的には「小さくよい」というほどの意であり、実際、古典文献の用例でも、第一に「かわいい」を意味する。古典ラテン語にはもう一つ、pulcher という同義語があり、こちらの方が一般的であったにもかかわらず、近代語には bellus の方が生き残り、フランス語 beau、belle、イタリア語、スペイン語 bello となった。つまり、この動きを辿る限り、美は善の従者でしかなかった。

西洋では、十八世紀半ばまで、ずっとこの考えが行なわれていたし、西洋以外の地域でも、「芸術」の考え方を導入しないとき・ところでは、事態は同様であった。幸い、作品は美しければ美しいほど、なおさら有用であることが多いので、画家や音楽家は作品の彫琢に主たる力を注ぐことができただろう。しかし美しいが直接何かの役に立たない作品や、何の役に立つかうまく説明できない作品は、この考え方の中で否定されざるを得なかっただろう。美を善の下に置く考えは、現代の我々にとっても、決して無縁ではない。たとえば人について、悪い人でも、美しくさえあればいいと考える人は少ないのではないだろうか。

こう考えると、厳密な意味の「三大価値」が、いかに特殊な思想であるかがわかるだろう。その中に、最も重要な点として、美の自律性が含まれているのである。

第３節―美の判定構造

本講第１節で述べたように、美という価値が感性という心の働きによってとらえられ、また前節［３］で見たように、「三大価値」の思想がそれぞれの価値の自律を含んでいるなら、美をとらえる感性の働きも、知性や理性のそれとは異なるはずだ。感性の働きの内容については第４講「感性」で検討することとして、ここでは感性による美の判定構造を、真、善の場合と比較しよう。

［１］真と善の判定構造

『岩波哲学・思想事典』は「真理」を「確実な根拠に基づいて正しいと認められた事柄」と定義

している（ここでは「真」と「真理」は同義とする）。例として、これも教室でと同様、「私は昨日大阪に行きました」という私の発言が真であるかを、あなたが判定しようとしている場面を想定しよう。判定者であるあなたは、もちろん私の発言を鵜呑みにせず、たとえば「じゃ、切符を見せて下さい」と言うだろう（もちろん、スマホの記録でもいい）。そこであなたがしようとしているのは、ＪＲ東海が発行した乗車券や特急券という「確実な根拠」に、私の発言が一致しているかの確認である。あなたは、切符に昨日の日付と乗車区間、場合によっては私の名前が書いてあるのを確かめて、私の発言を真と判定するだろう。判定の「確実」さが、社会的に構成されたものであることは、言うまでもなかろう。

　この場合、私の発言という判定対象そのものには、判定の手がかりがなく、そこから一旦目を離し、切符に目をやることで判定が行なわれる。ここでは①判定者（あなた）、②判定対象（私の発言）に加え、③根拠（切符）の三者が関与している。この判定は三項構造にある。

　次に、善（善さ）とは、対象について、人から求められるものである。ところで、たとえば医者であり母である一人の女性について、「善い医者である」と「善い母である」とでは、求められる「善さ」が異なっている。善い医者とは、患者に然るべき処置を施して怪我なり病気なりを治す人であるのに対して、善い母とは、子を然るべく育てる人のことである。つまり、患者を治すことが医者に求められ、子を育てることが母に求められている。これを「理念」と呼ぼう。「医者」、「母」という二つを挙げたのは、まず対象をどの面から（どの範疇のものとして）見るかを定めなければ、判定が始まらないことに注意を喚起したかったからである。また、この「理念」が人から求められる社会的なものであることも、忘れずにおこう。

さて、この設定において、その人が善い医者であるかをあなたが判定するとは、とりもなおさずその人を医者の理念と比較して一致度を測ることであり、母についても同様である。つまりこの判定には、まず対象の範疇を見定め、その範疇の理念を呼び出した上で、対象と理念の一致を測定することが必要だ。この場合も、女性その人から一旦目を離し、理念に目を移さなければならない。この判定には①判定者（あなた）、②判定対象（その女性）、③理念（医者の、あるいは母の）の三者が関与している。この判定も三項構造にある。

［2］美の判定構造

美の判定の極端な（しかし決して稀でない）例として、電車に乗り込んできた人の美しさにハッとする場面を考えよう。「電車に乗り込んできた」とわざわざ言うのは、「美しい」という判定が、何の準備もないところに、対象と同時に突然やってくることを明らかにするためである。判定の瞬間においても、その人を何か（たとえば別の美しい人）と比較しているわけではない。それどころか、真や善の判定におけるように一旦対象から目を離せば、その間私の美的判定は中断する。これは、今ここにある（あるいは、そのように想像される）ものだけをとらえる感性の働きから来ていると思われる。したがって、美的判定に関与するのは①判定者（私）と②判定対象（その人）の二者であり、この判定は二項構造を成す。これに、前節［３］で見た近代以前の美の判定を加えると、ここでは美が善への貢献度で評価されるわけだから、やはり三項構造になる。以上を図示したのが図表2-2である。

ここで、疑問とされるかもしれない二つの点について、予め答えておこう。まず美的判定は、第1講第3節［1］で見たように、主観的普遍性を含んでいる。つまり私の判定は人類の判定でもある。また、私の判定は、教育、情報、人の意見など、さまざまな影響の産物である。すると、美の判定も、やはり私の外にある第三項との関係で行なわれるのではないか。

私はそう考えない。なぜなら、これらの影響にせよ自ら体現する「人類」にせよ、それは「私」の中に内在化し、「私」を形作っているからである。それをある程度自分の中から取り出して客観化できたとしても、私はそれを参照することによって美的判定を下すのではない。したがって、美的判定はやはり二項関係にある。

図表2-2　真、善、美の判定構造

（ア）

真なるものの判定（三項関係）

①私（判定主体）
↓
②もの（判定対象）＝③根拠

（イ）

善の判定（三項関係）

①私（判定主体）
↓
②もの（判定対象）＝③理念

（ウ）

「三大価値」における美の判定（二項関係）

①私（判定主体）
↓
②もの（判定対象）

（エ）

西洋近代以前の思想における美の判定（三項関係）

①私（判定主体）
↓
②美（判定対象）＝③有用性（目的）

疑問の第二点は、美の判定構造に対して、心地よさはどのような構造にあるかである。喉の渇いた私が水を飲む場面を考えよう。第1講第2節［3］「美と他の快」で見たように、心地よさの快の意識は対象（水）に向かわず、ひたすら私の満足に向かう。ここにあるのは、私（判定主体）ただ一つであって、第二項すらない。「項」とは、複数あってはじめて成り立つものだから、一項とは言えず、当然一項関係とも言えない。そもそも対象の判定ではないからである。

［3］構造の違いが意味するもの

真と善の判定において、判定者は何をするのか、詳しく見よう。引き続き先ほどと同じ例を使えば、「私は昨日大阪に行きました」という私の発言を聞いたあなたは、その真偽を判定しようとしている。しかし考えてみれば、そのような発言を聞いて、多くの人がまず聞きたいのは、「何しに行ったの」とか「おもしろいことあった？」とかではないだろうか。「多くの人」が本当に私にそう聞きたいかはともかくとして、私の言いたいのは、真偽の判定が、発言の一面（真か偽か）しか見ていず、発言全体をとらえていないことだ。

この一面性は、善の判定において一層明確になる。じっさい我々は先ほど、一人の人について「医者」の面か「母」の面かをまず決めてからでないと、「善さ」の判定ができないことを指摘した。このように、真と善の判定は対象の一面しか見ない。それに対して美の判定は、何の限定も前提もなく行なわれる、というより自動詞的あるいは中動態的に、判定が生じるという方が当たっている。

つまり美的判定は、対象を全体として、そのものとしてとらえる。

　次に、三大価値の思想において美は善に従属せず、自律性を有していた。これは美という価値を人がどう評価するかという社会的な問題である。それに対して、美的判定は、その構造において、もう一つの自律性ないし自由を有しているように見える。なぜなら、二項構造による美的判定は、第三項（根拠、理念）に縛られず、全面的に感性の働きのままに行なわれるからである。ただしこれは、同じ美の自律性の別の相面にすぎない。なぜなら、美を善の下に置く考えのもとでは、図２−２（エ）のような三項関係にあるところ、美をその第三項から解放するところに三大価値の思想（同（ウ））が成り立つからである。他方、たった今どの一面から見るかを定めない美的判定の全体性として指摘したものと、この自律性ないし自由は重なる。一面を定めることはとりもなおさず第三項を立てることだからである。しかしここでは、それが「全体性」からかなり隔たった顕われであるゆえ、別の性質ととらえ、そのことを際立たせるため、美的判定の自由と呼ぶことにしよう。

　さらに、真と善の判定において、判定者は対象と根拠または理念との一致度を測るが、その測定はあくまでも客観的でなければならない。根拠や理念は社会的に構成されたものであり、判定者がどう受け取るか、つまり主観性は、問題ではないというより、むしろ排除されなければならない。真と善の判定者は、言うなれば、誰であってもかまわない。

　それに対して、美の判定には、判定者が快を感じることが不可欠であり、また美の感得は判定者の獲得なのであった（第１講第２節［４］「美の快はどこから来るか」を参照）。したがって、美の判定には、判定者の実存が懸かっている。人は快を感じるかどうかを意志で決定することはできないが、感じてしまうのも、感じることができないのも、私の外にある何か（根拠、理念や世間の常識、人の意見など）との関係においてではなく、私自身においてであり、私の所為《せい》である。私は、ほかならぬこの私として、私の実存を以て、美を判定する。

　最後に、判定構造の観察から、一つの効用が導かれる。美的判定の見分け方である。人の心の働きが知・情・意すなわち知性、感性、理性の三つからなるなら、いま下している判定に第三項が介在していないことを確かめることで、それが知性による真なるものの判定でも、理性による善の判定でもなく、感性による美的判定であることがわかるということだ。その検証の簡便なリトマス紙となるのが、第1講第3節［1］「美的判定の主観的普遍性」で触れた、美的判定の表明における「個人的には」の限定である。そこでは、この限定を、相手に合意を求める押しつけがましさを回避するためと説明したが、ここでは美的判定に判定者の実存が懸かっていることの表われと見よう。じっさい「個人的には」の限定に含まれる「あなたに同意を求めるものではないが」の趣意は、「人（あなた）がどう言おうとも」をも含意し得る。

　言い換えれば、この限定は、判定に外的尺度を持ち込まないこと、あくまでも、①判定主体と②判定対象の二項の関係で対象を判定することを宣言している。そしてこのような限定は、美的判定の表明全体の趣旨を変えない。もともと二項構造であった事態について、その構造を強調するだけだからだ。それに対して、真と善の判定に同じ限定を付して「個人的には、あなたの発言は正しいと思う」とか「個人的には、あの人は善い医者だと思う」と言えば、単にその判定が不確かであること、つまり厳密には判定と言えないことを意味し、発言の内容が無意味化される。ここから、我々は「個人的には」という限定を付して意味が変わらないかどうかを、美的判定の第三の検証法とすることができる（第一は、「私に快と感じられる、もののよさ」に適っているか、第二は想像力と知性の戯れないし自己の拡張が生じているか、であった）。

［4］美の自律性と美学の成立

三大価値、真・善・美の思想に美の自律性が含意されることを、本講第2節［3］「二大でない」で見た。ここでは、思想史上そのことがどのような形で表明されたかを観察することで、より深い洞察とよりよい説明方式を求めることにしよう。

一七五〇年、ドイツの哲学者バウムガルテン（Alexander Gottlieb Baumgarten, 1714-1762）が『美学（Aesthetica）』と題するラテン語の書物を刊行した。これを以て、「美学」という学問領域の嚆矢とするのが一般的である。Aestheticaとは彼の造語で、「感性」を意味するギリシャ語aisthēsisをaestheticusとラテン語形容詞化し、それが形容する名詞scientiaないしars（学）に合わせて女性形としたものである。本書では慣例に従い、「美学」と訳すが、語源的に「感性学」を意味することは重要である。というのも、彼はそれまでの知性重視の哲学に対して、感性を知性と同格の心の働き（「理性に類比的なもの」。なお、この「理性」は我々の「知性」に等しい）と認めたからである。彼は『美学』本文の冒頭で次のように述べる（第14項、津上訳）。

美学の目的はそのような限りでの、感性的認識の完成である。しかるにこれは美である。

ここではこの謎めいた文を、細部に立ち入らず大筋において説明することにしよう。なお、これの詳しい解釈については、拙著『あじわいの構造』第一章第一節を参照していただきたい。まず、彼がここで「認識」と言うのは、通常の知性的認識（ものがわかること）より広く、対象をとらえること、言い換えれば主語に述語を付けること一般である。したがってここには、「これは美しい」だけでなく「これは不思議だ（わからない）」も含まれるだろう。次に、「そのような」は、次の「感性的」を指すので、「そのような限りでの、」は読点（、）も含めて、「あくまでも感性の範囲で」の意味になる。これは最後の「完成」と合わさって、「感性による認識が、あくまでも感性の範囲で完成すること」（ややこしくてすみません）を意味し、それが「美」であると言うのだ。

ところで「そのような限りでの、」（あくまでも）の強調は、そうでない事態を予め想定していることを示唆する。「この私が保証する」と言えば、「他の誰かの保証は当てにならないかもしれないが」という含意を伴うのと同じだ。ではバウムガルテンはどのような考え方を念頭に置いていたのだろうか。

それは彼が踏襲するライプニッツ（Gottfried Wilhelm von Leibniz, 1646–1716）の認識論だ（これの解釈については、小田部胤久著『西洋美学史』六九–七一頁を参照）。少し言葉は難しいが、内容はわかりやすいと思うので、しばらくお付き合いいただきたい。

ライプニッツは認識をまず不明と明晰に分ける。不明な（暗い）認識とは、対象が何であるか、わからない状態で、本来の認識とは言いがたい。それに対して明晰な（明るい）認識とは、対象が何であるかがわかっている状態である。次に彼は明晰な認識を混然とした認識と判明な認識に分ける。前者は対象が何であるかはわかっているが、それが他のものとどう違うかまでは説明できない状態、それに対して、判明な認識はそれが説明できる状態を言う。

バウムガルテンはこれを踏まえ、そこに潜在していたと見ることもできるもう一つの認識経路を考えた。それが感性的認識である。知性的認識では、不明から混然、混然から判明に進んではじめて認識が完成する（真が把握される）のに対して、感性的認識は、不明から混然に進み、そこで完成する。

例を挙げよう。学者が研究上、難解な文章にぶつかり、最初はそれが何を言っているか、わからなかった（不明）ところ、繰り返し読むにつれ、言わんとするところがつかめたとしよう。これが明晰な認識だ。しかしもしその理解の正しさをきちんと説明できなければ、これはまだ混然とした認識であって、そこに、同じ語が同じ本の別の箇所でこれこれの意味で使われているとか、この概念は辞書でこのように説明されているとかの理由を持ち出して、その解釈の正しさを説明できれば、判明な認識になる。これが知性的認識の辿り着くべきところで、ある理解に到達しただけ（混然）では、この認識は未だ完成していない。

それに対して、画家が作品を制作する過程で、ある箇所に黄色の絵の具を置くべきか、それとも赤色かを検討し、赤を選ぶという場面を考えてみよう。最初どちらかわからない状態（不明）から、わかる状態（明晰）に徐々に移行する場合もあるだろうし、瞬時にわかる場合もあるだろう。しかし画家は学者と違い、この明晰な認識において、自分の確信について説明する（それができるのが判明認識だ）必要がない。画家の認識はここで完成しているのである。

バウムガルテンはライプニッツ式の知性的認識に対して、このような感性的認識を「下位の」認識と呼んだ。注意すべきは、これが順位上、二位であっても、資格の上では同じ「認識」として、知性的認識と同格であることだ。つまり彼は、ライプニッツの知性一元的、単線的認識構造に加え、知性と感性を二つの経路とする複線的認識構造を提唱したのである。画家の確信は、前者の枠組みに則るかぎり、未完成、できそこないの認識に留まらざるを得なかったのに対して、後者の枠組みでは、序列上、学者の認識の後に来るとしても、別種の、それ自体で完結し完成した、立派な認識と認められたわけだ。以上の内容を図示したのが、図表２-３である。

こうして、バウムガルテンの「そのような限りでの、」の強調が、彼の前にあったライプニッツ式の認識構造を念頭に置いてのことであったことがわかった（このように、感性による美の判定を、知性による真なるものの判定になぞらえて説明することの限界については、第４講の補講４「感性の暗い働きと我々の美論の限界」を参照）。

次にこれを、我々の考えとの関係で見直そう。知性による判明な認識とは、当該の対象が他のものとどう違うかを説明できる状態であった。ここには、他の対象を持ち込んで、当該対象と比較する過程が不可欠であり、この認識には、①認識主体、②認識対象に加え、③他の対象、の三者が関与している。つまりこれが三項構造であるのに対して、感性的認識において、比較の対象はないのだから、この認識に関与するのは①認識主体と②認識対象の二項のみである。これはまさに我々の言う美的判定の構造にほかならないが、「美的」とは英語で言えば aesthetic で、語源に忠実に「感性的」と訳すこともできるので、バウムガルテンの言う「感性的認識」が我々の美的判定に重なるのは当然だとも言える。

次に、彼が「そのような限りでの、」と強調するのは、我々の言葉で言い換えれば、三項構造の判定を前提としながら、三項でない二項構造で考えて、と同義であり、それはさらに、第三項を排除して、を意味する。これは本節前項で見た美的判定の自由に相当する。そしてやはりそこで見たように、これは美の自律性の別の相面であった。結局、バウムガルテンが新たに提唱した「感性的認識」は、我々の言う美的判定と重なり、したがって彼は実質的に、美の自律性と三大価値、

図表2-3　ライプニッツとバウムガルテンの認識構造論

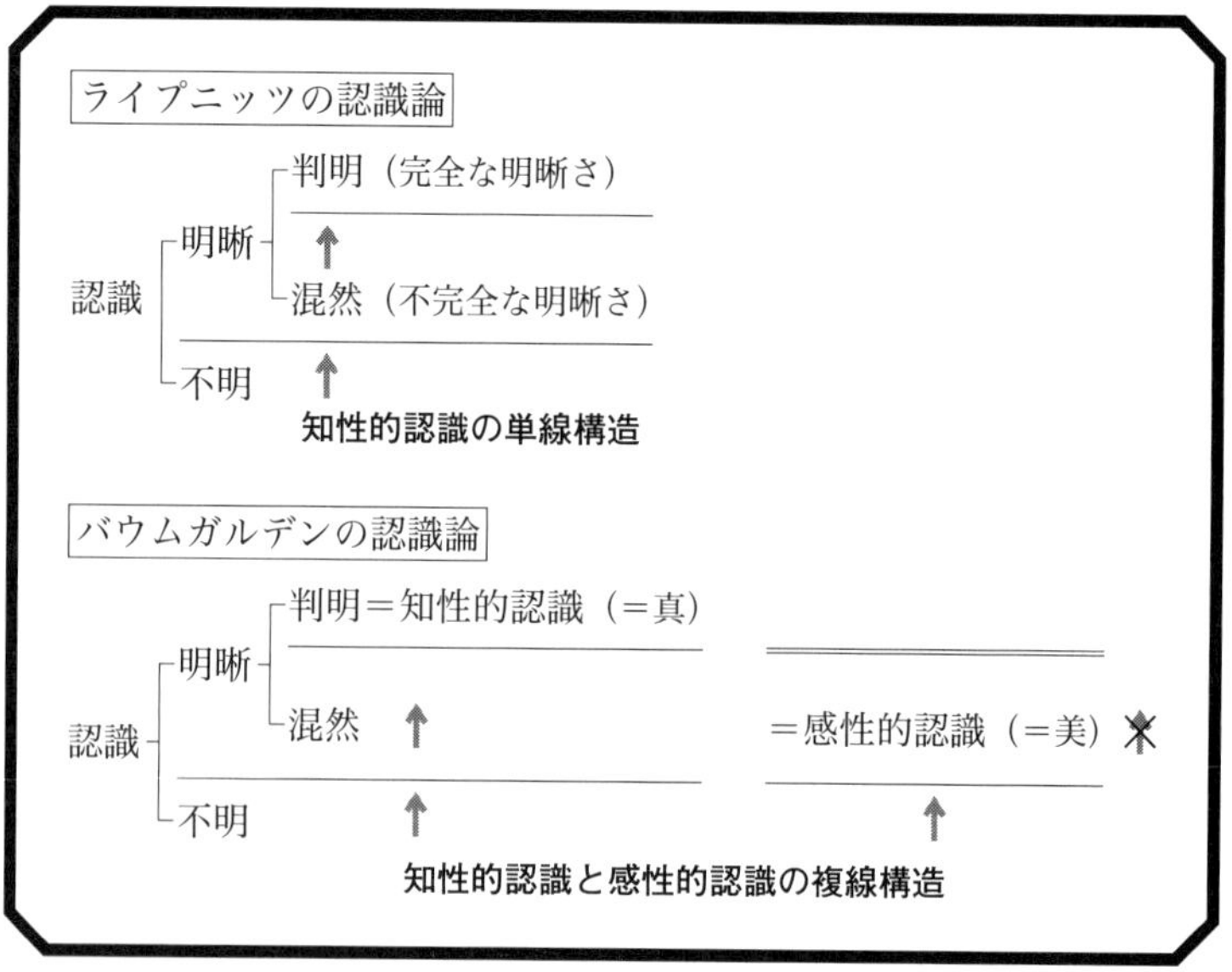

真・善・美の思想を哲学的に表明しているのである。考えてみれば、美学の成立が真・善・美の思想を可能にしたとは、何とも当然のことであり、本項の考察はそれを検証したにすぎない。

本項の締めくくりに、三大価値の検討からは外れるが、バウムガルテンによる美学の目的論的定義に目を向けよう。先ほどの引用で、彼は「美学の目的」を「感性的認識の完成」としていた。彼がここで念頭に置いていた「感性的認識」の場面とは、詩を代表とする芸術の制作と鑑賞なのだろうが、我々の考える美的判定の対象には、自然の風景や人の姿、さらには人の行為や日用品を含めない理由はない。それどころか、およそ美醜の尺度を受け入れるあらゆる対象が含まれると考えてよいだろう。すると、「ジャズの美学」、「和食の美学」を経て「男の美学」、「滅びの美学」に至る言い回しも、それらが美的判定の対象である限り、許容されるはずだ。

するとそこでの「美学」は、それぞれの対象を（知性や理性でなく）感性によって判定すること（要するに、感じ方）を意味し、バウムガルテンによる美学の定義とピタリと一致する。私が言いたいのは、本書が論じ、諸大学の美学講義が扱う学問的美学と、我々の日常的な感じ方は無関係であるどころか、前者は後者をすくい取り、筋道立てて説明するべきものだということである（我々の研究を美学の理論篇、世に広く行なわれるエステつまりaestheticsを美学の実践篇として、両者の連携を呼びかけたことがあるが、残念ながら今までのところ、双方から反応がない）。本書が現代日本人の感じ方をどこまで説明できているか、自信はないが、志は保ちたい。

［５］美の感傷性

美の判定は二項構造による。ここから、私が「美の感傷性」と呼ぶものが必然的に帰結する。感傷とは、刺激に対する過剰な情動的反応（特に悲しさ、寂しさ）を言う。普通なら特に反応することのない状況で、ハラハラと涙を落とす類だ。日本人と違い、西洋人はこのような精神状態を否定的にとらえることが多いが、ここではその問題には立ち入らないことにしよう。

私が美の感傷性と呼ぶのは、判定主体が判定対象を不釣り合いに美しいと判定する事態だ。三項構造の判定なら、第三項の存在によって主体は対象との距離を測ることができる。しかしそれのない二項構造では、主体はどんな対象にでも、いくらでも近づいて、ついには没入と言われる状態に陥るかもしれない。その結果、現実逃避や現実錯誤に陥ることもあるだろう。右に「不釣り合い」と言ったが、そもそも距離を測りようがないのだから、適正と言える距離、順当な美的判定というものが、原理的にあり得ないのである。

ただしこれは、美的判定の中でのことで、それを一旦やめて外に出れば、同じあるいは類似の対象に、他の人はどのような判定をしているか、かつて自分はどうであったかなどを省みることで、距離を適正化することはできる。

第１講第２節［４］「美の快はどこから来るか」で私の試論として述べたように、美とは獲得であるから、判定者がそれを重視したく思うのは当然であり正当である。獲得したよさを真に「自分のもの」と言えるのは、三大価値の中で美についてだけ許される貴重なことだ。しかし美には、そのような恵みの正確な裏返しとして、感傷性がつきまとい、恵みに酔って（あるいは酔わされて）美の世界に閉じこもると、大きな危険が待ち構えているかもしれないのである。その一例を示すのが、次の補講だ。

補講２　美の危険　『金閣寺』の場合

前著『危険な「美学」』において、私は主に戦争に関わる場面について、美が危険な働きをすることを指摘した。その危険は、美が特定の目的に利用されることから生じるのではなく、感性そのものの働きに起因するというのが、その主旨だ。戦争の場面を選んだ、というより自然とそうなってしまったのは、戦争という極限状態が、人の考えと集団の振舞いを極端にまで増幅するからであり、また戦勝／敗戦という明確な結果から、それをもたらした原因が多少とも明快に辿れることが多いからだ。ここでは、前著への補いの意味も込めて、戦争以外の極限的場面として、三島由紀夫の描く金閣放火を例に取ろう。この事件が、敗戦を背景として起きたのは確かだとしても、両者を直接の関係で結ぶことはできないだろう。

多くの読者がすでにご存じとは思うが、議論の前提として、まず史実と三島の解釈の大略を踏まえよう。一九五〇年七月、寺僧によって京都鹿苑寺の金閣が放火され、全焼した。吃音症の放火犯林養賢は動機の一つとして「美に対する反感」があったと語っている。三島は一九五六年、この事件を題材に小説『金閣寺』を発表した。その主題の一つが「美への嫉妬」だ（「金閣寺」創作ノート）。つまり事件も小説も、美への強烈な感情、美の側から見れば美の強烈な力が、金閣焼失という破滅の一因であったというのだから、美の危険を、事実が例証し、小説が解釈している。私は事件の内容を詳しく知らないので、専ら三島の解釈に従うことにする。用いるテクストは新潮文庫新版第六刷である。ただし、引用でルビは省く。

『金閣寺』には「美しい」（「美しさ）」を含む）、「美」に類する語が頻出する。図表2-4は、十の章それぞれにこれらの語が何度出現するかをまとめたものである。抽出は私の目と手で行なったため、見落としがあるかもしれないが、だいたいの傾向はわかるだろう。

図表2-4　『金閣寺』における「美」関連語の出現回数

語／章	1	2	3	4	5	6	7	8	9	10	計
美しい	25	13	6	13	5	8	6	5	0	3	84
美	12	7	5	0	10	24	3	8	0	21	90
美的	0	0	0	0	1	0	0	5	1	1	8
美質	0	0	0	0	1	0	0	0	0	0	1
美女	0	0	0	1	0	0	0	0	0	0	1
美人	0	0	0	1	1	0	0	0	0	0	2
美男	0	0	0	1	0	0	0	0	1	0	2
美貌	0	0	0	3	0	0	0	0	0	0	3
美徳	0	0	0	0	0	0	1	0	0	0	1
華美	0	1	0	0	0	0	0	0	0	0	1
甘美	0	0	0	2	0	0	0	0	0	0	2
きれい	0	0	0	0	3	0	0	0	0	0	3

「美しい」と「美」が「美的」や「きれい」のような類語を圧倒して、意識的に用いられていることは一目瞭然である。また「美しい」と「美」の使用例一七四件を見ると、七二件が金閣に、十八件が女性に関するものであり、この二つが過半を占めていることがわかる（ただし、特定の何かの美ではなく抽象概念としての「美」を語っているのか、何かの美を語っているのか、微妙な場合も多く、また後者の場合でも、何の美を指しているかには別の解釈もあり得るので、これが厳密な数字とは言えない）。第九章のように、これらが一度も見られない部分がある反面、際立って頻用される箇所がある。そのそれぞれが、筋から見ても重要箇所である。そこで小説の展開に沿って、言葉を引用しよう。

はじめは、主人公溝口少年が父から、まだ見ぬ金閣の美への憧れを掻き立てられる場面である

（引用一　第一章、二八頁）。傍線は津上による。

> 私が人生で最初にぶつかった難問は、美ということだったと言っても過言ではない。父は田舎の素朴な僧侶で、語彙も乏しく、ただ「金閣ほど美しいものは此世にない」と私に教えた。私には自分の未知のところに、すでに美というものが存在しているという考えに、不満と焦燥を覚えずにはいられなかった。美がたしかにそこに存在しているならば、私という存在は、美から阻害されたものなのだ。

この一八〇字に、「美しい」が一度、「美」が四度現われる。一つの段落が丸ごと金閣の美をめぐ

る記述だ。これが内容的に、筋全体の出発点である。

しばらくして、中学生になった溝口は父に連れられて金閣と初の対面を果たすが、その印象は「美というものは、こんなに美しくないものだろうか」というものだった（引用二　第一章、三三頁）。彼の感性は実体験において、金閣の美に歯が立たなかったのだ。

その数ヶ月後、溝口は徒弟として鹿苑寺に入り、日常的に金閣と対面できる境遇になる。そのとき彼は次のように祈念した（引用三　第二章、四五―四六頁）。

> 「金閣よ。やっとあなたのそばへ来て住むようになったよ」と、私は箒の手を休めて、心につぶやくことがあった。「今すぐでなくてもいいから、いつかは私に親しみを示し、私にあなたの秘密を打ち明けてくれ。あなたの美しさは、もう少しのところではっきり見えそうでいて、まだ見えぬ。私の心象の金閣よりも、本物のほうがはっきり美しく見えるようにしてくれ。又もし、あなたが地上で比べるものがないほど美しいなら、何故それほど美しいのか、何故美しくあらねばならないのかを語ってくれ」

想像と憧れの対象として遙か彼方の存在でしかなかった金閣を、間近にしかも度々見ながら、彼の感性は依然として、その美を想像上の美に見合うまでにとらえることができず、祈るしかない。ここで五回連発される「美し」いは、少年時代の「不満と焦燥」がまだ解消されていないことを表わしている。そして「いつかは」というこの祈りは放火の直前まで叶えられず、ずっと彼を縛り続けることになる。

その後彼は、空襲に焼かれることで「金閣が私と同じ高さにまで引き下げ」られることを願い、一時の心の平安を得る（**引用四**　第二章、五九頁）が、この倒錯した所有願望は終戦によって逆に破られる。数年の不健全な思い迷いを経て、彼はついに放火の決心に至る。最後の引用は小説末尾近くで、放火の準備を整えた溝口が自分の行為を省みる場面である（**引用五**、第十章、三二一―三二二頁。強調点は原文）。

そして美は、これら〔金閣の＝引用者注〕各部の争いや矛盾、あらゆる破調を統括して、なおその上に君臨していた！〔中略〕美が金閣そのものであるのか、それとも美は金閣を包むこの虚無の夜と等質なものなのかわからなかった。おそらく美はそのどちらでもあった。細部でもあり全体でもあり、金閣でもあり金閣を包む夜でもあった。そう思うことで、かつて私を悩ませた金閣の美の不可解は、半ば解けるような気がした。なぜならその細部の美〔中略〕を点検すれば、美は細部で終わり細部で完結することは決してなく、どの一部にも次の美の予兆が含まれていたからだ。細部の美はそれ自体不安に充たされていた。それは完全を夢みながら完結を知らず、次の美、未知の美へとそそのかされていた。そして予兆は予兆につながり、一つ一つのここには存在しない美の予兆が、いわば金閣の主題をなした。そうした予兆は、虚無の兆だったのである。虚無がこの美の構造だったのだ。そこで美のこれらの細部の未完には、おのずと虚無の予兆が含まれることになり、木割の細い繊細なこの建築は瓔珞が風にふるえるように、虚無の予感に慄えていた。

こうして最後の最後に、「半ば」とはいえ、美の「秘密」（引用三）を掴んだ彼には、もはや放火の実行が無意味に思えてくる。言い換えれば、美をめぐる筋の展開はここで終わるのである（これに続く数頁は事件展開に落とし前を付け、放火事件の実態と摺り合わせるものでしかない）。

このように見てくると、「美しい」と「美」の顕著な出現箇所を辿るだけで、小説の大筋がわかるのではないかと思えるほどだ。それは金閣の美への憧れに始まり（引用一）、敗北（引用二）、祈念（引用三）、所有願望（引用四）を経て、最後に秘密解明（引用五）に辿り着く。少年の「不満」（引用一）がようやく解消し、中学生の祈り（引用三）が成就したのである（三島が創作ノートで言う「美への嫉妬」も、こうして決着したと私は見る）。

さて、**引用五**に戻ると、溝口は金閣を実際に破壊する段になって、ようやくその美の正体を、「半ば」ながら見破ることができた。三島が十五回に及ぶ執拗なまでの「美」の説明として「予兆」、「不安」、「ここには存在しない」、「虚無」と言うものは、「ここ（この点）がいい」と指摘することのできない調和美の無性格、捉えどころのなさ（第３講第１節［２］「純粋美と調和」および第２節［２］「逸脱の魅力」を参照）を言っているのだと私は思う。調和からの逸脱は「これ」と指差すことができるが、調和そのものは全体的事実であって、その一部分について「この点が調和している」とは言えない。

とすれば、ここで溝口が会得したのは、調和的に美しいもの（狭義の美）であって、調和からの偏差が性格に変じて人を魅惑する広義の美すなわち美的なものではない。第3講第1節の先取りになるが、美的なものとは、たとえば人の性格や言動の明るさに対して負の質であるはずの暗さの部分が、基本的に明るいその人の翳りとして魅力となるような場合だ。私はこの変化を感性の統合反転作用と呼ぶ（第4講第2節［3］を参照）。

そしてこの調和美は、もはや部分として「金閣の」と限定することさえできず、「虚無の夜」という全体に拡散する。『金閣寺』は「ここには存在しない」美を追い求めた男の悲劇だ（美学を勉強していさえすれば、この悲劇は避けられたのに！）。

注意したいのは、これが所有願望（**引用四**。この場合、無価値化して自分のものにしたい思い）を乗り越えた先にあることだ。この願望は、対象を自分のものにし尽くしたいという欲求（カントの言葉で言えば、対象の実存への関心だ。第1講第2節［3］「美と他の快」を参照）から生じるもので、美の呪縛力によるものではない。溝口は終戦という外的状況によってこの願望から解放され、さまざまな屈折を経た後、最終的に純粋美の把握に辿り着くことができたのである。

無論、現実の林においても小説の溝口においても、敗戦という特殊事情が彼の了見違いの一因を成している（吃音もこれに関係していると三島は見ている）のは確かだが、これは我々すべてに関わる普遍的問題である。なぜなら、直前の本講第3節［5］で見たように、美の判定は第三項を欠く二項関係にあるゆえ、その追求に適度というものがなく、際限なく先へ先へと昂じ得るものだからである（美の感傷性）。

多くの場合、この問題が顕在化することなく終わるのは、人が美の追求からいったん身を退き、我と我が身を（知性的・理性的に）省みることができるからである。溝口の場合、金閣の次に美しく、しばしば金閣と並置されさえする有為子ら女性への欲望が、これも複雑に屈折して、反省を妨げているように見える。結局、彼は最後の瞬間まで、一瞬も我に返ることなく、美の追求を続けた。美の側から見れば、美は彼を縛り続けた。

『金閣寺』のこの簡単な分析からわかったのは、人を強烈な力で惹き付けて放さない悪魔的な力を美が有している、それを三島由紀夫が語っていることだ。そしてもしあなたがこの作品に共感するなら、それはとりもなおさず、あなたがそのような力を美に認めている証拠だ。

ここで再度注意を喚起しておきたいのは、ここで言う「美の危険」が、特定の意図のもとに美が利用された場合のことではない点だ。美の政治的・経済的利用の例は枚挙に暇がない。「美しい国日本」のような露骨な欺瞞は言うまでもなく、支配者の威光を高めるための、建築を代表とする諸芸術のすべてがそうだし、美しいデザインの商品、美しい人の登場する広告など、現代生活のすみずみにまで、それは行き渡っている。このすべてを咎めるのは不可能だし、無意味でもある。かと言って野放しにしてよいわけではない。特に、美の現象に関心を持つ我々としては、この点にいつも目を光らせていなければならない。

しかしこの「目」は政治・経済の目であって、美学の目ではない。美が利用されている場面で、その美をいくら分析しても、おそらく美に責任はないという結論が得られるだけだろう。私がこの補講で言いたかったのは、そのような美の利用の危険ではなく、美そのものが持つ、人を狂わせるまでの悪魔的な働きの危険である。

第3講　美と美的

これまで我々は端的に「美」を語ってきた。しかし我々の経験として、文句なく「美しい」と言えるものに加えて、「美しい」に近いがちょっと違うもの、たとえば「かわいい」ものがあり、「あの人は美しくないがかわいい」などと厳密に使い分けている。本講では、端的な美と、かわいい、崇高、滑稽など、美的なものについて、両者の違いと、それぞれの人間的意味、そして歴史的変化について考える。「美的」とは、美そのものではないが、美の性質を備えたもの（それが「的」の意味だ）を表わす。

第１節　狭義の美と広義の美

［１］美しいものと美的なもの

二十世紀日本の美学者木幡順三は、美的なものとの対比で、美を次のように説明する（『美と芸術の論理』「狭義の美と広義の美」、四四―四五頁）。

> 心に何の蟠《わだかま》りや葛藤も惹き起こさないで、すこぶる円滑な心の動きを誘い出し、促進し、その結果快を感じさせる。…調和しているからこそ美なのである。

つまり、どこにも負（つまり不快）の要素がなく（純粋）、調和状態にあるというのである。この狭義の美に対して、彼は広義の美、すなわち美的なものを、

> 複雑な内面的・構造的屈折ないし歪曲を蒙ったのち、究極的に調和を恢復している

と定義し（同書四五頁）、内訳として、崇高、悲壮（悲劇的）、滑稽（喜劇的）、フモール、優美、

特性美、醜などを挙げる。つまり、部分的にあるいはある面から見れば、不快さを含むが、一定の過程を経ると、快となるということだ。

木幡が美的なものの一つに数える滑稽について、陳腐ではあるが講演者のくしゃみを例に取ろう。高邁な内容を説く先生が、話の最中にくしゃみをしたとしよう。そのとき先生は奇妙な音を発し、顔は歪むだろう（「飛沫」のことは言うまい）。つまりこのときの先生の姿は醜く、不快である。しかし話を聞き終わって内容に納得した聴講者は、そのくしゃみを思い出し、人によってはそれを講演の汚点とは考えず、内容の高邁さと醜さをひとまとめに「チグハグな関係」ととらえ直し、おかしみ、つまり滑稽と感じるかもしれない。くしゃみは高邁さを損なわず、逆に「あのくしゃみした先生ね」と、一種の魅力となり、楽しくそれを思い出すということだ。ここで、くしゃみを汚点のまま残すのではなく、チグハグさの要素ととらえ直すことが、木幡の言う「内面的・構造的屈折ないし歪曲」、我々の言う「一定の過程」であり、楽しい思い出が「調和を恢復している」状態、すなわち快に当たる。

［2］純粋美と調和

先ほど引用した木幡の説明で、純粋美は調和とされていたが、これは、西洋で古くから行なわれてきた美の理論だ。では調和とは何か。日本語の「調和」は、部分や要素の間にそもそも対立のない静的な状態を指すことが多いと思われる一方、これに対応する英語 harmony（語源はギリシャ語）は、諸要素の対立状態を前提とし、各々の力の釣り合いから生じる平衡状態を表わす動的な概念である。調和のこの性質を卓抜に譬えているのが、紀元前六–五世紀ギリシャの哲学者ヘラクレイトス（Hērakleitos）の「逆向きに働き合う調和（palintropos harmoniē）」の概念である。彼は次のように述べたと伝えられている（DK五一。『ソクラテス以前哲学者断片集』第一分冊三二三頁。内山勝利訳）。

> どうして不和分裂しているものが、みずからと一致和合している（理を一つにしている）のか、彼ら［万人］には理解できない。逆向きに働き合う一体化（調和）というものがあって、たとえば弓や竪琴の場合がそれである。

弓の弦は上端と下端へ「逆向きに」引っ張られているという意味で、自分の中に相反する力を内蔵している。それが「不和分裂」である。しかし弦はそれでも同じ位置に留まっている。相反する力が互いに「これだけの力で」と合意していて、どちらかが他を圧倒することがないからである。それが「一致和合」であり、「理［ことわり］を一つにしている」と訳者の言い換えるものである。このように、相反する力が緊張の中で均衡を保っている状態、それが調和だと言うのだ。訳者はそれをまず「一体化」としている。それは竪琴すなわちリュラの弦においても同様だ。

これがおそらく、この発言の文献学的に妥当な解釈なのだろうが、弓について、もっと鮮鋭な事態を思い浮かべることもできる（竪琴には別の説明を要するのが、この解釈の欠点だ）［図表３–１］。

すなわち、引き手が弓に矢をつがえて引き絞るとき、張りつめた弦において、上端から引かれる力（①a）と下端からのそれ（①b）とが均衡しているばかりでなく（これが右の解釈だ）、たわんだ弓において、両端で弓が弦を引く力（②a）と弦がそれに抗する力（②b）は、作用と反作用の関係で正確に相殺される（これは矢をつがえない場合でも、弦を張っているかぎり原理的には同じだが、目立たない）。ここで②aは①aに、したがって①bにも等しく、②bは①bと①aに等しい。さらに射手においても、弓手《ゆんで》（左手）が力の限り弓を支える力（③a）と馬手《めて》（右手）が弦と矢を引き絞る力（③b）は釣り合っている。もし弓手の力を緩めれば射の放棄だし、馬手を緩めれば

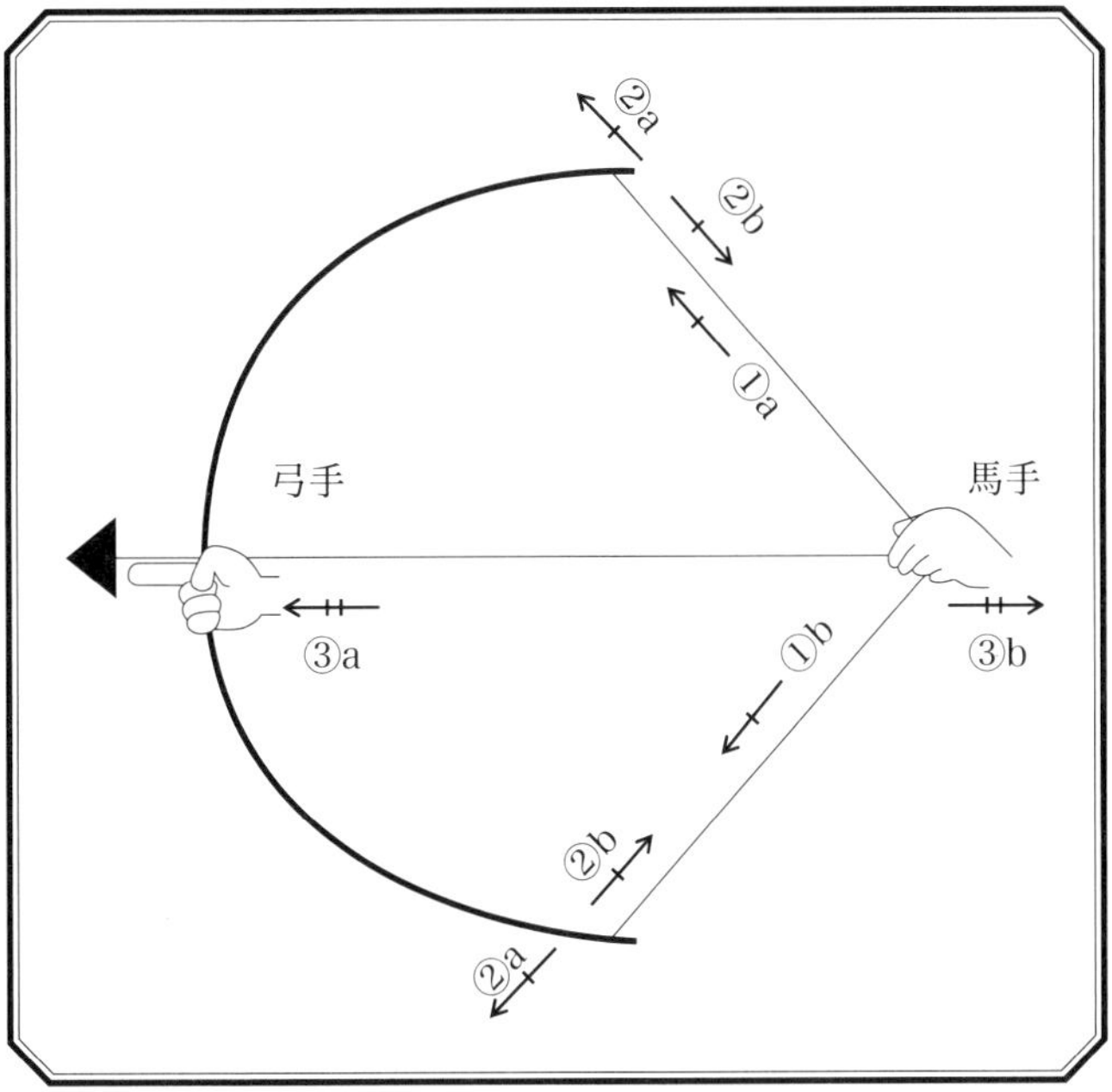

図表3－1「逆向きに働き合う調和」

矢は飛び出す。いずれの場合も静止状態が消滅する。弓と矢、射手の両の手が、すべて逆向きの強い力を受けながら、ぎりぎりのところで均衡しているのである。この極度の緊張をはらんだ静止状態が、調和というもののあり方を、鮮やかに伝える。ここでは、このような意味で「調和」を考える。

すると、美しいものは、互いに損ない合うかもしれない諸要素が、強すぎも弱すぎもせず均衡している状態、力が正、負のいずれにも逸脱していない状態と考えることができる。モデルで理解するための例として、毎回教室で使うのだが、いま仮に、人の顔が目、鼻、肌の三要素でできているとしよう。もしある人の鼻が残り二つの要素に比べて物足りなく感じられたら、その人はそれだけ美しくないわけだし、逆に、肌が際立っていたら、その人は美しい人ではなく、肌がきれいな人である。肌がいいと言えるのは、（屁理屈のようだが）目と鼻がそれに比べるとよくないからだ。美しい人とは、この三要素が各々優れていながら、しかもどれか一つが他に劣っていたり優っていたりしない人のことである［図表3－2参照］。

美が調和状態であることのもう一つの説明として、これも私がいつも教室で使う簡単なアンケートを紹介しよう。「甲さんは乙さん

図表3-2　調和美の構造

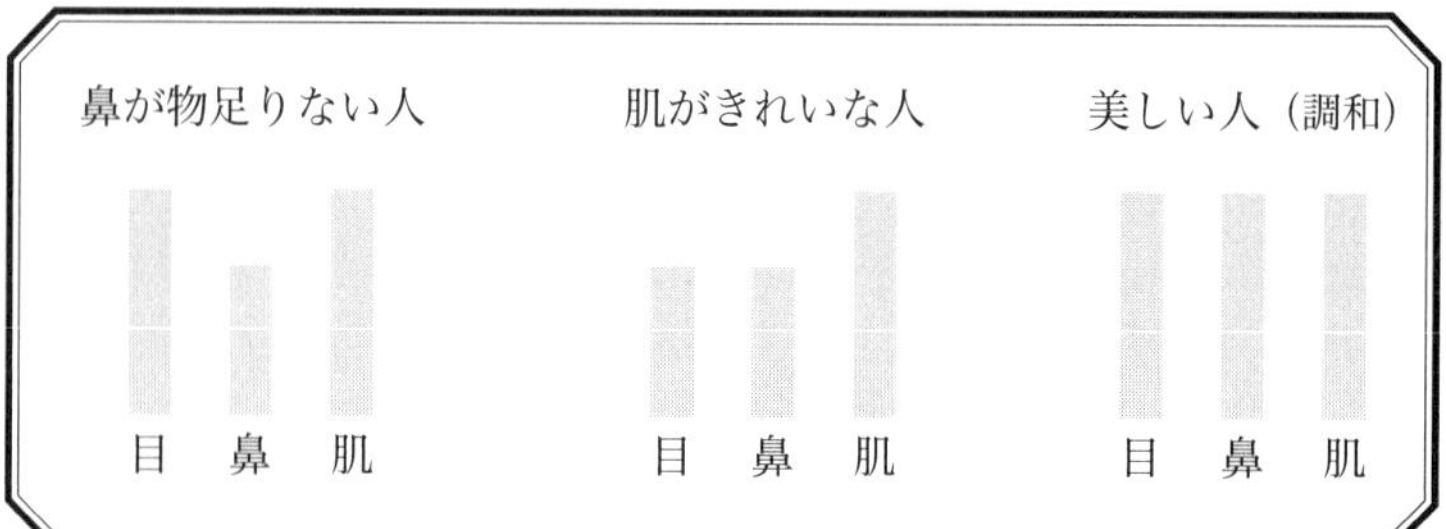

に似ている」という文について、「誰でもいいから、乙さんと乙さんに似た甲さんとを思い浮かべて下さい、あなたはその甲さんと乙さんのどちらを美しいと思いますか」というものだ。結果は（私は毎回緊張するのだが）、大抵、圧倒的に乙さんが多い。

なぜだろう。「甲さんは乙さんに似ている」において、「似ている」は相互関係を表わすから、「乙さんは甲さんに似ている」と言い換えられるかというと、そうは行かない。「あの娘はお母さんに似ている」は言えるが、「あのお母さんは娘に似ている」はおかしい。母が子の形質の元である以上、母が基準となるはずだからだ。したがって、先ほどのアンケート結果は、基準となる人（乙さん）は、それに比較される人（甲さん）より美しいと言い換えることができる（アンケート結果における「大抵」に当たらないのは、特殊な甲さんと乙さんを思い浮かべた場合だと考えておこう）。

これは我々の実感にも即するのではないだろうか。娘を母に似ていると見ることは、母を基準として、そこからの非逸脱として娘を見ることであり、（小さな）差の分だけ娘が逸脱しているという見方をすることではないだろうか。ところで、基準とは、座標軸の原点がそうであるように、正、負のいずれにも逸脱していないもののことである。先ほど見たように、調和はこの規定に当たるから、アンケート結果と合わせて、基準としての調和は美しいと結論づけることができる。そして、西洋の伝統的美感において、調和美は最も典型的な美だから、美とは、西洋の伝統的美感において、最も典型的に、調和である。

ここで、先ほどの顔の例を思い出そう。三要素のうちで肌が特によい人は、本当の意味で美しくはない人であった。このことが示すのは、美しいものについて、「ここがいい」と特定することはできないということだ。これはまさに諸要素の均衡状態としての調和の性質である。事実、調和しているものについて、ここが、この要素が調和しているとは言えない（三島由紀夫による調和美のこの性質の描写は、本書補講2にある）。ここから、我々の感じ方においても、美とは調和であると結論することができる。

それと似たことが、善についても言えると思う。つまり善いばかりの人、たとえばいつも正論を吐き、模範的行動をする人は、「隙のない人」と言われるが、見方を変えれば、つかみ所がなく、どういう人かわからない。我々はそんな人に、微細でも、欠点を見つけたときにこそ、親しみを感じるのではないだろうか。人の欠点や悪は、他人がその人の内面をとらえるための手がかりだ。

ところで、調和が諸要素の均衡状態であるとするなら、それは「状態」である限り、対象について客観的に語っていることになり、我々の主観的・客観的美の定義に反することになるのではないか。そうではない。

調和の最も典型的な現われである音楽的調和、すなわち和声（harmony）を考えてみよう。伝統的和声法では、協和（調和）と不協和は、規則として定められているが、このような規則は、規範と定められた特定の作曲家や作品群に則るところから出発する。つまり規則は、特定の作品を美しいと認める判定を、不可欠の前提としている。あなたは、第1講第3節［2］「美の客観的説明方式」で触れた、古代ギリシャの協和音程の範囲づけを思い出したかもしれない。そのとおりで、一見客観的に見える左右対称や、アンケート結果に基づく美しい顔の条件のような美の説明は、すべて主観的判定の要素を含んでいる。調和にしても、諸要素の均衡は、主観的判定に待つしかない。

それを「状態」と呼ぶのは、その主観的判定を対象に投影してのことである。

次の問題として、調和美の政治性を考えよう。調和美を純粋であり基準であるとすることは、それ以外の美的なものを、美の尺度で見る限り一段下のものと見ることを含意する。しかるに何を以て調和とするかは、地域や時代によって異なる。したがって、調和美は文化的に構成されたものであり、必然的に政治性を帯びる。権力者や多数派の好みが標準、座標軸の原点となるということだ。たとえば現今議論の多いミスコンだが、かつては主として外見で測られていた。その中で高得点を得るのは、直接間接に多数派の支持を得る人だろう。こうして、あくまでも一つの、ではあるが、美の基準が定められる。その結果、その尺度で見て基準点から遠い人は「美しくない人」のレッテルを貼られる。これは何もミスコンの場でなくとも、我々の周りで実際に起きていることだ。

つまり美の基準を設定することが、ある意味で人を差別する働きをしてしまうことを、我々は忘れてはならないと思う。もちろん現実には、そのような一つの尺度にこだわらないという構えを、多くの人が持っているので、穏健な判断をしている限り、この危険は大きくない。

しかし、調和美の内容が文化的、政治的に構成されるものなら、美と美的なものとの関係も、変化することになる。ある時代で調和美とされたものが次の時代では美的なものになる場合、あるいはその逆の場合だ。たとえば、十九世紀オーストリアの音楽批評家ハンスリック（Eduard Hanslick, 1825–1904）が著書『音楽美論』（初版一八五四年）第一章で述べるところでは、モーツァルトの音楽は同時代の聴き手にとって、調和美の体現者としてのハイドンに対して、「激烈な情熱の代表者」（渡辺護訳、岩波文庫版）であったが、その二〇〜三〇年後、その対比はモーツァルトとベートーヴェンに取って代わられた。このように、調和美は相対的である。

［3］調和美からの部分的逸脱としての美的範疇

美的なものは、講演におけるくしゃみのように、部分的不快を含む。この不快は、大きすぎると、もはや「美的」でなくなるだろうから、「比較的小さな」をこれに加えることにしよう。そして、不快は調和状態の快からの逸脱であり、逸脱とは、ある尺度ないし要素における正または負の方向への乖離、つまりその要素の過剰（正）または欠如（負）と言い換えることができるから、結局美的なものとは、ある要素の比較的小さな過剰または欠如を持つ。

その要素として、たとえば力が考えられる。調和状態である美から、力が過剰になったもの、それは崇高である。たとえば風にそよぐ姿が美しい木立が、嵐の中でなぎ倒されんばかりに大きく揺れているとしよう。身の安全が確保された状況では、私はそれをずっと見ていたい（快である）。そのとき美は崇高に転じる。反対に、成人は美しくあり得るのに対し、力の欠如した赤ちゃんや猫は美しくなく、かわいい。

この事態を、調和状態の中心を原点とする座標空間に見立て、力のような尺度を、傾きの異なる軸として図式化することができる。ただし、調和状態は厳密には拡がり（逸脱）のない点でなければならないが、少し緩やかに、逸脱が目立たない状態と見なして、小さな拡がりのある領域と考えることにしよう。それが、図表３‐３である。この円の中心から内側の円までが狭義の美であり、内側の円から外側の円までが広義の美、美的なものである。外側の円を越えると、もはや逸脱が大きすぎて美的ですらなく、単に不快なものとなる（先ほどの嵐の例では、身の危険を感じる状態）。

この中で、我が身の破滅をも省みず、なすべきと思うところを敢行する様は悲壮であり、道徳性の過剰であるのに対し、理由もなく道徳律に違反するのが滑稽である。悲壮を「悲劇的」、滑稽を「喜劇的」とすると、その対比は一層明瞭になる。

図表3-3　美的なものの体系

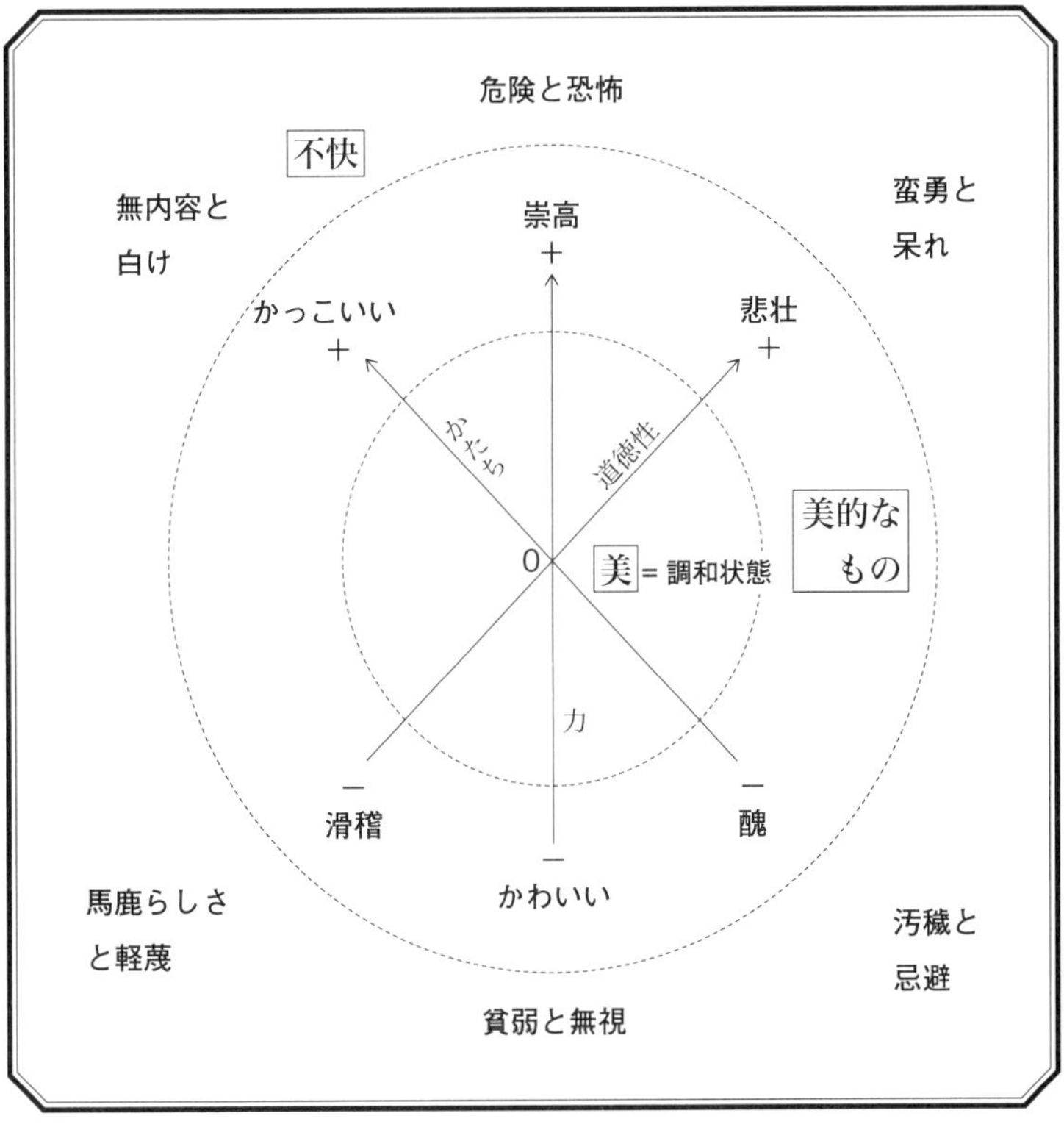

「かたち」の尺度に目を移すと、その過剰、すなわち内容を度外視して外から見えるかたちのよさを言うのが「かっこいい」であり、形の欠如は、無論「醜」である。

このように整理すると、いかにも図式的で理論のための理論の臭いがするが、十九世紀後期から二十世紀前期にかけての西洋の美学研究は、この議論を中心的課題とした。その中で、我々がこれまで「美的なもの」と呼んだものの個別種すなわち内訳は「美的範疇」、「美の変異体(Modifikation)」、「性格的（das Charakteristische)」などと命名され、各理論家によって個別に分析された。今後、狭義の美すなわち純粋美との区別を明確にするため、「美的範疇」の語を用いることにしよう。我々としては、必ずしも美的範疇の体系性にこだわる必要はないが、これらがいずれも、中心の純粋美からの逸脱であることを表わせるのは、この図式の利点である。

さて、私は前項で、純粋美を調和として美的なものの中心に置くのが、我々の感じ方でもあると述べたが、この「我々」とは誰か、反省してみる必要がある。谷崎潤一郎は『陰翳礼讃』（一九三三年）において、白日の下に全要素が明瞭な姿を現わすのでなく、薄暗がりの不分明さを愛でる点に、日本の伝統的美感の特徴を見た。諸要素の均衡が明確に認められることに存する調和は、陰翳の中にはない。どうやら、私が「我々」としたのは、西洋的美感の影響を強くこうむった人たちのことであったらしい。このことが示すのは、我々の図式が普遍的でないことだ。陰翳を重んじる日本の伝統的美感を図式化すれば、調和からずれたところに美の焦点があることになるだろうか。いや、そもそも逸脱を測る基準としての中心すらないのかもしれない。日本の伝統美に詳しくない私には、どのような図式が適切かを判定することはできないが、少なくとも、調和を中心とする美的範疇論が西洋的美感にのみ有効であることを忘れずにおこう。

本項の最後に、美的範疇とこれまでの理論との関係を見ておこう。美の定義から始めれば、「私に快と感じられる、もののよさ」が純粋美に当てはまるのは言うまでもない。というより、この定義は純粋美を念頭に置いて作られた。では美的範疇に、この定義は当てはまるのだろうか。再び講演者のくしゃみの例で検討してみよう。滑稽と感じられたその講演は、楽しく思い出される限りで私にとっての快であり、しかもそれが講演のよさと感じられているわけだから、定義は当てはまっている。しかしそれは講演者の醜い姿を一要素としていた。その点でこの例は美の定義に反し、全体として部分的にしか定義を満たさない。同じことは、中心の調和状態から逸脱を見せるすべての美的範疇に当てはまる。

調和美と美的範疇の違いは、私が第1講第1節「美の定義」で認識的一体性と呼んだものにも見られる。対象について、一定の客観的認識が成り立った上で、その認識内容から快を感じるというように段階を経るのではなく、対象がよいか否かを専ら私の快で判定する一体性を美的判定は有しているのであった。これは無論調和美に当てはまるが、美的範疇の場合、まず対象について、力の過剰、道徳性の欠如のような一定の客観的認識があり、その上でそれを快と感じることで、対象をよいものと判定するというように、構造上、一つの段階が介在している。これが調和美との違いである。ただしこの過程において、実際の判定の場面では主観的快と客観的認識（力の過剰、道徳性の欠如）が一体（崇高、滑稽）になっている。

ところで、美的範疇が逸脱を前提とするなら、前項「純粋美と調和」で見たように、調和が要素同士互いに否定し合う対立状態を前提とすることと同じではないか、あなたはそう反論するかもしれない。それはかなりよい点を突いているが、残念ながら的そのものに当たってはいない。

なるほど第4講第2節［1］「多を一とする感性」で見るように、調和は物理的に存在するのではなく、感性の働きによって初めてとらえられる。そこまでは調和と美的範疇は一致する。しかし美的範疇において、逸脱したものはそれとしてそこにある（講演者のくしゃみの例で言えば、「おもしろい（滑稽な）先生」という判定には、歪んだ顔が感性に現前している）のに対して、調和においては、諸要素の対立は、平衡状態の中に、その前提として包み込まれ、外から（感性に）は見えなくなっている。したがって、（和音をどうしても和音として聞かず、それを構成する個々の音を聞き取ろうというような、ひどく特殊な構えを取らないかぎり）感性がこれをとらえることはない。このように、調和と美的範疇は、ともに否定的要素を前提としながら、感性の働き方の点で異なっている。

それを図示したのが図表3-4で、囲み文字は感性が意識すること、網掛けは意識しないことを表わす。不快には対立がない。

次に、中心からの逸脱の大きいもの、つまり図表3-3で外側の円のさらに外側にある領域では、客観的認識と主観的なとらえ方が別の名を

図表3-4　調和、美的範疇、不快における対立（⇔は対立を表わす）

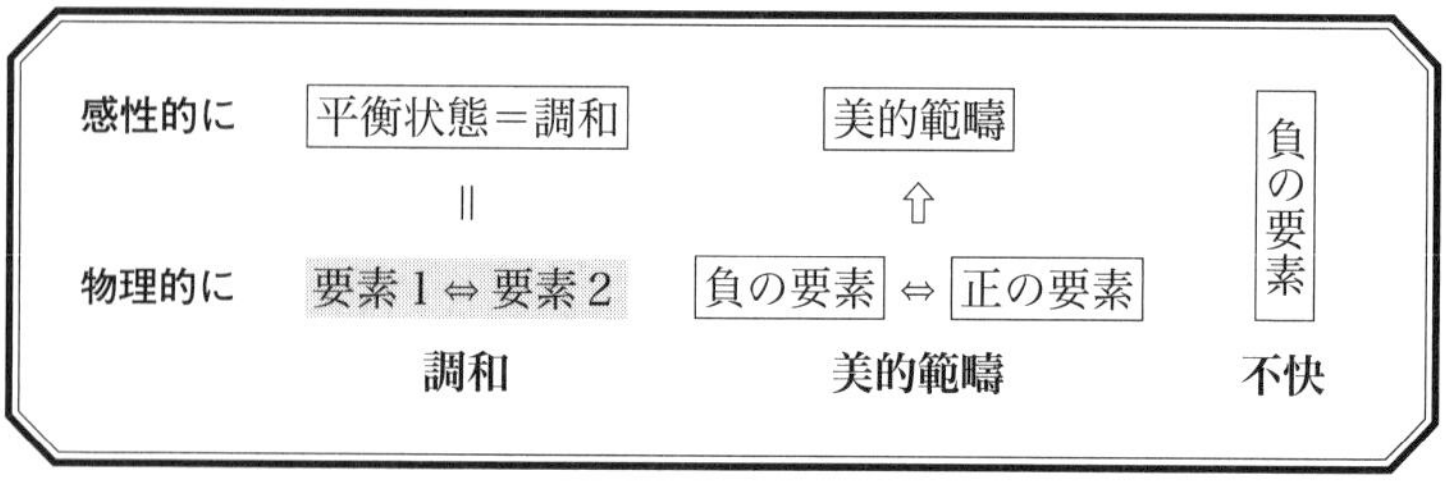

持っている。たとえば崇高の外側にある力の法外な過剰は、主観的に見れば不快であり、客観的に見れば危険であるが、この不快には「恐怖」という名がついている（図表3－3で、「危険と恐怖」、「蛮勇と呆れ」などと二つの語を並記しているのはそのためである）。調和美と美的範疇の快には、「快」という以外に名がなかった。つまり恐怖という不快は一旦判別を経た結果である。この判別は明らかに「危険」という、対象の知的認識に基づいている。したがってこの判定は、ものの、すでに成り立っている客観的認識を、次に感性が判定するという段階を踏んでいる。これは第1講第1節で見た「非美的判定」の構造である。以上のことは第1講の図表1－1に美的範疇の判定を加えて、図表3－5のようにまとめられる。図表1－1では「非美的」の内容は「心地よさ」であったが、ここでは「不快」であって、両者は一見逆だが、「非美的」である点に変わりはない。

　また、美的範疇を判定構造から見れば、感性によるとらえ直しに際して、第三項が介在していると見ることが

図表3–5　美的判定、美的範疇の判定、
非美的判定における認識と快

美的（調和美の）判定

もの（よさ）＝美の快

美的範疇の判定

もの→客観的認識（力の過剰）＝快

非美的（不快の）判定

もの→客観的認識（危険）→恐怖

できる。たとえば、自分もときどきくしゃみをするという知性的判定である。これが第三項として参入し、対象である第二項（くしゃみをした講演者）と比較されているのではないか。この判定の結果、くしゃみの否定性（負の値）が消えて、くしゃみが高邁な内容と同一地平に載る結果、チグハグという美的範疇を形成するという理屈だ。とすれば、滑稽の判定は、三項構造から二項構造への変移を辿った結果であることになる。

さらにこれを、快の種別との関係で言えば、右の知性的判定において、自分を講演者の同類と感じる安心感が含まれている（先生も私と同様にくしゃみをした）。安心とは自分の現状の肯定であるから、私の生存に貢献する。つまり安心感とは一種の心地よさである。ここに、カント風に言えば実存への関心が働いているし、私の試論に合わせれば、この安心感には自己拡張感がない。したがって滑稽は、心地よさを一部含む非純粋な美の快であると言える。

第2節　美的範疇の人間的意味

［1］美的範疇と人間実存

滑稽という美的範疇の判定には、たった今講演者のくしゃみの例に即して見たように、判定構造としては、二項構造を基本としながら、自己把握という知性的判定の一時的参入があり、快の種別としては、美の中に心地よさの要素の混入が認められた。同じことが滑稽以外の美的範疇にも当てはまるかを検討しよう。まず崇高である。力の過剰を特徴とする美的範疇である崇高は、前節の嵐の木立の例におけるように、我が身の安全という知性的判定を前提としていた。同時に安全は、一種の心地よさとして、私の幸福に属する。

力の欠如としての「かわいい」はどうだろう。かわいい赤ちゃんや猫を前にした私は、それをいたわらなければならないという理念に実存的に従っている。またその弱さは、やはり弱い自分にとって、安心できる心地よさだ。このように、力の過剰にも欠如にも、私の実存が関与している。道徳性の軸とかたちの軸にしても、過剰や欠如が、少なくとも私に無害であるという判断を前提として初めて、あるいはその範囲内でのみ、美的範疇であることができると考えることができるだろう。

「実存」という言葉で思い出されるのは、カントの「関心」である。彼はこれを対象の実存への欲求と定義していた。対象が実存するとは、それがそのようなものとしてそこにあることなので、それを欲求する主体も、ここにこのようなものとして実存していなければならないはずだ。すると、これまで見てきたように、美的範疇が関心による心地よさを一部含むとすれば、それは主体の実存を前提とすることになる。美的範疇にとって不可欠の「とらえ直し」は、対象の実存を主体の実存に引き当てることなのではないか。

第2講第3節［3］「構造の違いが意味するもの」で述べたこととの関係で付言するなら、真なるものおよび善の判定と違い、美的判定には実存が懸かっているが、そこには前述のような第三項の参入がない。これが調和美の場合だが、美的範疇においては、さらにもう一段、実存が内容的に関与しているということだ。それが次項で検討する「魅力」である。

［2］逸脱の魅力

美的範疇における調和状態からの逸脱は、それ自体として客観的に見れば、欠陥であり美を損なうはずだ。しかし美に関する我々の経験は、そうでないと教える。たとえば左右の目は対称形をなしているのが調和状態であり、美であるのに、そこから逸脱して、微妙に、いや、ときには大きく、形や大きさの異なる左右の目がひどく魅力的に見える人がいる。あるいは少し（これは大きく、でない方がいいかもしれない）心を病んだ人も素敵だ。逆に、純粋美は調和状態である以上、「ここが」と、そのよさを特定することができないだけ、無色透明で冷たく、取り付く島がない。ここに、美的範疇の人間的魅力がある。注意しなければならないのは、美的範疇が、客観的に見れば欠陥であるものを含むにもかかわらず、ではなくまさにそれゆえに、我々にとっての魅力となることだ。次講で詳述するが、これが感性の働きのおもしろさである。

しかし、欠陥が魅力となるのは、考えてみれば不思議なことではないのかもしれない。過剰も欠如もない基準の状態は人の目につかない。空腹と食べすぎは苦痛に感じるが、どちらでもなくちょうどよい状態を人は感じない。そもそもそれ固有の名がないほどだ（「満腹」は苦痛の一歩手前である）。それに対して、過剰や欠如はそれと感じられ、「これ」と指し示すことができる。つまり判定の対象となり得るだけ、私はそれをとらえ自分のものとすることができる。言い換えれば、それだけ自分の実存に引きつけることができる。つい自分と共通点のあるものに惹かれてしまうとか、逆に自分にないものに憧れるとかだ。美的範疇は、このように判定者それぞれの実存が内容的に関与するだけ、強烈な魅力を帯びる。それは一人一人が己の実存を賭けて獲得した、すぐれて自分の美だ。

とすると、人によって、ある美的範疇を特に好み、別の美的範疇には冷淡という事態があり得る。調和美にはないことだ。卑小ながら私自身を例とすれば、「エロティシズム」という美的範疇が、私にはよくわからない。と言うより、これが美的範疇であるとは思えないのだ。もし美的範疇だとすると、対象の実存（女性であること）に一部関心を持つが、それ以上に無関心的快を感じるのでなければならない。つまり近づくより、一定の距離を置いて眺めることを快と感じるというわけだ。私自身はそれより、（実行する勇気があるかは別として）近づきたい。

逆に、私が少し人並み以上に反応しているのではないかと思うのが、音楽、特にピアノ曲における「湧出感」とでも言うべきものである。典型として念頭に置くのは、ベートーヴェンのピアノソナタ第二一番《ヴァルトシュタイン》作品五三の第三楽章ロンド（2／4拍子）である。中でも、楽章全体にわたって、伸びやかな主題を間奏が盛り上げる過程の最後、終結部（プレスティッシモ）の直前、第三四四小節第二拍－第三七八小節第一拍で、十六分音符の三連符が連続する部分である。最初（第三四四小節第二拍－三四八小節第一拍）、各小節第一拍、第二拍の三連符第二音の成していたメロディ（ミファミレレ♯ミレド）が徐々に音高を高め、最後にト長調の主和音に解決する。その中で、特に第三五二小節第二拍からは、左右両手が分散和音を奏でる［図表3－6］。

音符そのものは右手と左手がそれぞれ分散和音を弾く簡素な作りなのだが、私はここに、（大げさかもしれないが）存在の湧出のようなものを感じる。前になかったものが次々新たに出現する様である。ここではメロディの音高を徐々に高めることと「センプレ・ピウ・フォルテ（つねにもっとフォルテに、つまり、音を強め続けて）」の指示とによって、作曲者が或る盛り上がりを意図したのは確かだが、それに加えて、一つの和音を六つの単音に分割する分散和音、三十四小節にわたって途切れなく続く三連符を通じて、次々と音を繰り出す感覚が醸し出されていると私は思う。私が「湧出感」と呼ぶのはこれのことだ。同じことは、やはり中期ベートーヴェンのピアノ協奏曲第四番（作品五八）第三楽章（特に後半）、シューマンのピアノ協奏曲（作品五四）第一、第三楽章にも感じられる。

さて、美的範疇は図表3-3で言えば、それぞれ傾きの異なる軸において正か負の値を取る。その傾きとは、我々の経験において「性格」と呼ばれるものに相当する。美的範疇の別名としても用いられることのある「性格的」は、無性格な調和美との対比において、このことをよく表わしている。この「性格」の用法は、十九世紀西洋、特にドイツ語圏のピアノ音楽で流行した「性格小品（Charakterstück、英語ではcharacter piece）」を考えると、一層わかりやすい。これはソナタや変奏曲のように形式が明確な大規模作品に対して、多くの場合標題に名指された特定の気分や情景を表現する小曲で、メンデルスゾーンの《無言

図表3-6　ベートーヴェン作曲ピアノソナタ《ヴァルトシュタイン》第3楽章第352〜6小節

歌》やシューマンの《子どもの情景》がよく知られている。

前述のような大規模作品の表現するものが、端的に「これ」と言い表わすことのできる気分や情動を表現するのではなく、形式的にも整っているかぎりで「調和的」と言えるのに対して、性格小品は身近な気分や情景を、まさに「これ」と切り取って明示する。それはピンポイントであるだけ個別、痛烈に人に訴える。この大規模作品と性格小品との関係を、調和美と性格的なものすなわち美的範疇との関係に重ねることができるだろう。美的範疇の有する強い魅力は、我々一人一人にとって掛け替えのないものである。

我々は前節［2］で調和美の政治性に触れた。では美的範疇に政治性はあるのだろうか。そこでも述べたように、調和美と美的範疇は相対的で入れ替わる可能性がある。その意味で美的範疇も潜在的な政治性を持つが、それ以上に、中心（権威）から逸脱して否定的評価を受けがちなもの（たとえば本講補講で扱う「ヘンタイ」）に個別の魅力があることを認める点、美的範疇は権威からの自由を含意する。そこに、調和美とは逆の政治性がある。魅力とは各人にとっての価値だから、社会的に顧みられない価値を個別に拾い上げることで、権威から自由な、自分の価値観を確立しているわけだ。

第3節　美的範疇と美的質

［1］美的質とは

美的範疇には、美的なもの、広義の美、美の変異体、性格的など、多くの別名があり、それぞれ指示する範囲や見方の微細な差異を含んでいる。これは美的範疇の多様性を示すものである。

美的範疇には、もう一つの多様性がある。それは語形である。美的範疇のあるものは「美」と同様、「崇高」、「滑稽」のような名詞形であるが、「かわいい」、「乙な」、「性格的」のように形容（動）詞を基とし、必要に応じて「かわいいもの」のように敢えて名詞的な形を作るものもある。さらに（現代日本の新しいものだが）「泣ける」のように動詞を基とするもの、「私は「それが」何であるか知らない（je ne sais quoi.「曰く言いがたいもの」、「名状しがたいもの」などと訳されることがある）」のように、主語と動詞を備えた文の形をしたものさえある。このような多様な語形は、美的範疇というものの存在論的曖昧さに由来すると私は考えている。再び図表3-3を見ると、美的範疇は内側の円（純粋美）と外側の円の中間に位置する。その外には、我々に不快なものがある。つまり美的範疇は調和でなく、また不快でもないという否定的なありかたをしている。私が存在論的曖昧さというのはこのことである。「私は何であるか知らない」という名はまさにそのことを表わしている。

このような多様性を有する美的範疇を、閉じた体系として説明し続けることには無理がある。無論、これまでの美的範疇論の検討が無駄であったというのではない。それは人間的魅力のような洞察を与えてくれた。しかしこの現象の多様性には、別の理論がもっとよい説明を与えてくれるだろう。それが「美的質」論である。この理論は美、崇高、かわいいなど、我々がこれまで美的範疇と呼んできたものを「美的質」ないし「美的概念」と名付ける。「質」は客観的に対象に属すると見られるもの、「概念」は主体が認識のために持つものと見てのことだが、指すものは同じだ。

この理論は体系を求めず、範囲を限ることもしない。したがって、美、かわいい、滑稽、悲壮などに加え、力強い、緻密、優美、軽快、統一的、メランコリック、悲しい、刺激的、さらに先ほどの「泣ける」のような多様な質を含められるばかりでなく、新たに美的質になったものもあるいはなろうとしているものを扱うこともできる。

ここでは、調和美は特権的に中心に置かれることもなく、美的質の一つとして、他の質と同格である。図表3-7で表わされているように、ここには範囲の限定と中心がなく、美的範疇論ではあり得なかった範疇同士の重なりや包含も許容される。

美的質論は、現在も分析美学の中で盛んに論じられるが、大きな欠陥があると私は思っている。それは範囲の無限定である。つまりどの質が美的であって、どの質がそうでないのか、あるいは同じ質が美的質として働いている場合とそうでない場合をどう見分けるかである。たとえば「白い」は客観的・記述的に用いられることもあれば、日本の伝統的美感において人の顔について言われるときのように、美的質を表わす場合もある（色の白いは七難隠す）。この区別をしないと、美的質を扱っているつもりで実は客観的質を論じていたりというような取り違えが生じる恐れがある。

しかしこの問題は解けていると私は考えている。それは美の検証法である。我々は第1、2講で、それを三つ考えた。まず①美の定義「私に快と感じられる、もののよさ」であり、次に②同講第2節［4］で見たカントによる想像力と知性の自由な戯れまたは私による自己拡張感であり、最後に③第2講第3節［3］で見た判定構造（あるいはこれを測る「リトマス紙」として「個人的には」の限定を判定に加えて、判定の意味が変わらないこと）である。この三つの検証法のいずれかを当てはめることによって、当該の質が美的であるかが知られる。

こうして理論的欠陥を補うと、美的質論は時代、地域、社会階層などによって、好まれる美的質が異なるという事実をよく説明するものとなり、我々の感性の

図表3-7　美的質

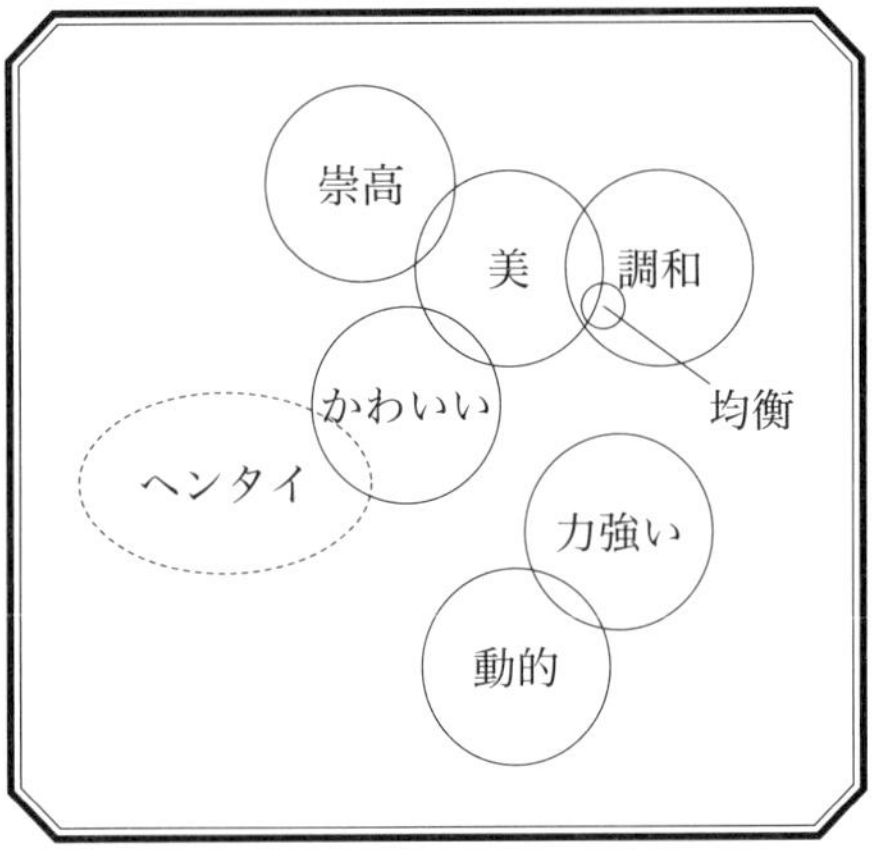

働きについて、大きな洞察をもたらしてくれる。

［2］美的質の歴史的変化

現代の、特に日本において、「ノスタルジア」が美的質であることを疑う人は多くないだろう。念のため三つのしかたで検証すると、①「私はこの映画がノスタルジックで気に入った」、②私はこの映画を見てこれまでにない感じ方を一つ得た、③「個人的には、私はこの映画がノスタルジックで気に入った」と、いずれも（②は体験そのものに依存するのではっきりは言えないが）当てはまっている。なお、日本語で「ノスタルジア」に加えて、「ノスタルジー」の形も用いられるのは、英語において、一般的な nostalgia の脇に、稀にしか使われないが nostalgy の形があるからだ。意味は変わらない。また、日本語「懐かしさ」との関係については、拙著『あじわいの構造』第四章をご覧いただきたい。

ところが、あなたは驚くかもしれないが、この「ノスタルジア」は一六八八年、スイスの医学者ホーファーが「帰郷痛」の意味で造語した病名に始まる。異国で命を賭けて戦う傭兵に特有の、死に至る病とされた。価値で言えば、全面的に負である。その後、詳しいことは前掲書第三章に譲るが、故郷から離れて暮らすのが特殊なことではなくなる二十世紀に、英語としての nostalgia はプラスの価値を帯び始め（正負両価）、二十世紀終わりに全面的に正の価値を持つ美的質に変化した（これは第４講第１節で扱う感性化の一例である）。それは、過去の喪失感を前提として、たまさか過去を想起させるものに出会ったとき、過去の像を想像上それに重ね合わせてあじわうことを内容とする。たとえば、久しぶりに小学校の同級生に出会ったとしよう。目の前にあるのは年相応の姿なのだが、話をするうち、小学生時代の彼の様子が私の中に蘇り、二重写しになった現在＋当時の彼の像が、私の往時を彷彿とさせる。私はそれをもっとあじわいたい。

　このような意味と価値の変化は、歴史的英語諸文献に現われるこの語の用例を分析することによって、より簡便には、時代ごとの英語辞書の定義を通観することによって、確かめることができる。ところで、ある語が美的質を表わすとは、とりもなおさず、人がその語を使って自分の感じ方を表明することである。美的質とは、判定主体の側から見れば、対象から受け取る快の種別にほかならないからである。逆に言えば、その語なしには同じ感じ方を表明することができず、自分の感じ方に形を与えることができない。ということは、既存の語が新たに美的質の意味を持ち始めたり、新たな語が作られたりする以前は、その感じ方はなかったに等しい。

　英語においてその問題を考察するために、我々は The Historical Thesaurus of the Oxford English Dictionary という強い味方を持っている。これはＯＥＤに収録された各語が、過去の同時代にどのような類義語を持っていたかを明らかにしてくれる。ここからわかるのは、英語 nostalgia の歴史的類義語、たとえば homesickness や mal du pays が、過去も現在も美的質を表わさないことである。したがって、英語圏人は過去を想像上あじわうという感じ方を、二十世紀終わりまで、しなかったと結論できる。

　他方、かつて美的質としてもてはやされたが現代ではさほどではなくなったものとして、日本の茶道・俳諧における「わび」「さび」、江戸町人の「粋」と「鯔背《いなせ》」がある。能における「幽玄」は現代でも受け継がれているかもしれない。このように、言葉の歴史は時代時代の感性の働きを照らし出す。日本語と英語における語の感性化の歴史については、『あじわいの構造』第二章を参照していただきたい。

〔3〕 現代の美的質

語と感性の関係は、無論現代にもある。それどころか、ソシュールが言うように、共時的変動が通時的変化の元にあるのだとすれば、この現代における共時的変動をこそ観察すべきだろう。言語変化は若者において特に顕著で、急速だ。私が成城大学で担当する美学ゼミでは、そのような言葉遣いの変化を卒論のテーマに取り上げる学生が毎年のようにいる。若者による若者言葉の分析だ。ここでは、特に印象に残った数年前の論文を、執筆者の了解を得て取り上げることにしよう。

黒田あずささんの「#切ないは【切-】なくない——いま、人は「切なくなりたい」とつぶやく——」だ。まず題からしてかっこいい。「#」はSNSの投稿であることを示し、隅付き括弧（【　】）は辞書の項目であることを表わすので、現代の日常語において、「切ない」が、辞書に定義された伝統的な語義とは別の意味で使われているという論文内容を、題目の文言が簡潔に語っている。辞書の定義には「悲しみや孤独に胸を締めつけられるような気持ちである」とある（『明鏡国語辞典』第三版）のに対して、その日常語的語義とは、まさに美的質である。現代人は切なさをあじわうために小説を読み、映画を見るということだ。黒田さんは、ＳＮＳでのつぶやきの分析やアンケートという客観的根拠を示しながら、それを証明することに成功した。

この論考から、現代人、特に若者が、極端に強くはない悲しみを、甘美なものとしてあじわう心性を新たに獲得したことがわかる。これはまさに我々の感性の働きの一部である。このような研究を積み重ねることで、美学は現代人の感性の傾向を明らかにすることができるはずだ。これは美学の大きな社会貢献である。

さて、そのあずささんが、卒論制作終盤になって、自分は使わないが高校生達の言葉遣いとして、「エモい」が流行り始めていると言っていた。英語 emotional から来た語で、心が少し悲しい方向に動くことを言う、これも新たな美的質の一つだ。「切ない」あるいはノスタルジアとも通じるところがある。ところがそれから数年経った二〇二二年、授業で学生たちに「あなたは「エモい」という語を使いますか」と聞くと、「使います」という答えもある中で、「今ではあまり使わなくなりました」とか、「自分は使わないようにしています」という声もあった。この数年のうちに、急速に流行り始め、今は廃れかかっているということだろうか。

このような動向を探ろうと、私はときどき成城大学や非常勤先の美学講義で、現在新たに美的質を表わすようになった（あるいはなろうとしている）語を、実例つきで説明してください、という課題を出している。二〇二〇年から二二年にかけての答えの中から、目についたものを紹介しよう。

エモい、鬱くしい、イタい、しんどい、尊い、キモかわいい、ださかわいい、ブサかわ、病みかわいい、NEOかわいい、ださかっこいい、ダメンズ、（お）バカ、メンヘラ、ツンデレ、地雷系、腹グレー、殺人鬼、バブみ、おフェロ、変顔、昭和チック、しょっぱい

私には、この一つ一つについて解説する力はなく、学生の答案から「へえ〜」と感心するばかりだ。ご存じない語については、ネットなどで確かめていただきたい。ただ、外側から観察すると、いくつかの方向を指摘することはできるだろう。まず、「鬱くしい」、「イタい」、「しんどい」、「（お）バカ」、「メンヘラ」のように、もともと否定的な語義を持っていた語が反転して肯定的に使われたり、否定的な要素を肯定的に読み替える例。次に、「かわいい」、「かっこいい」に「キモ」い、「ださ」い、「ブサ（イク）」、「病み」という否定的限定を付ける例、もう一つ、「ツンデレ」、「地雷系」、「バブみ」「おフェロ」のように性愛にかかわる例。これ以上の分析は私の手に余るが、同種の例を大々的に集め、時間的変化も加味した面的な観察と分析を加えることで、現代日本の若者の感性的特徴が明らかになるだろう。そしてさらに、それが何によって引き起こされるかは、社会的議論になるだろう。

補講3　続「ヘンタイ」の美学　一様でない感性化

前著『あじわいの構造』で、私は「ヘンタイ」アンケートの結果を公表した（七七–八一頁）。「変態性欲」を語源とする「ヘンタイ」という語が感性化して、美的質になろうとしているという仮説のもと、当時私が授業を担当していた二つの大学で、二十代前半を中心とする一八七人の学生を対象に行なった調査である。この美的質は、標準ないし平均からの独特な逸脱を、知性的に、一概にいけないものと切り捨てるのでなく、その普通でなさを好ましいものと感じることを内容とする。アンケートの結果は、この語が語源的意味から離れて、その方向で感性化する途上にあることを示していた。

そこで今回、十二年後の変化を探るため、現在私が授業を担当する三つの大学で、合計三九人の学生に、次の要領で同じアンケートを行なった。人数が少ないのは、クラスの人数がたまたま少なかったためだが、年代はほぼ同じである。

第二次「ヘンタイ」アンケート

一　アンケート実施期間：二〇二二年七月六日から十三日（前回は二〇〇九年五月から二〇一〇年十月）。

二　対象クラス：成城大学文芸学部美学ゼミ十人、成城大学文芸学部美学一般講義二二人、慶應義塾大学大学院美学美術史専攻二人、東京芸術大学楽理科五人。合計三九人（前回は成城大学文芸学部一六四人、東京大学文学部＋大学院二三人。合計一八七人）。

三　年齢：推定二十代前半（前回もほぼ同様）。

四　男女別：女性二七人、男性十四人。アンケートの③と④の両方に答えた人二人を女性二人、男性二人と数えた（前回は一二一人：六三人。ただし回答漏れあり）。

五　質問内容はまったく同じ。

結果は図表3-8のとおりである。

この結果から読み取れるのは、感性語としての「ヘンタイ」の使用頻度（②〜④）は十二年前と大差ないが、芸術作品への適用度（⑦）は高くなった。自分を「ヘンタイ」と形容する場合、そこに或る「よさ」が必ず含まれている（⑤）。つまり感性化が成就している。他方、私が前著で語の感性化の経路と見た形容動詞化は進んでいない（⑥）。また、時とともに変態性欲との関連の意識が弱まるかと思われたが、むしろわずかに強まっている（①）分、この語の使用をためらう人と気

図表3-8　第2次「ヘンタイ」アンケート結果

質問（○、△、×で答えてください。）

①「ヘンタイ」と聞いて「サド・マゾ」を連想しますか——結果：連想する人が少し増えた。

	○	△	×	合計
今回	23%	31%	46%	100%
前回	19%	21%	60%	100%

②軽蔑的にでなく「きみヘンタイだね」と言ったことがありますか——結果：目立った変化なし。

	○	△	×	合計
今回	69%	10%	21%	100%
前回	68%	5%	27%	100%

③男性の場合「オレ、ヘンタイなんだ」と言ったことがありますか——結果：言ったことのある人が少し増えた。

	○	△	×	合計
今回	43%	7%	50%	100%
前回	30%	3%	67%	100%

④女性の場合「あたし、ヘンタイなの」と言ったことがありますか——結果：言ったことのある人が大きく減った。

	○	△	×	合計
今回	11%	15%	74%	100%
前回	40%	4%	56%	100%

③④合計——結果：男女合計では、言ったことのある人が少し減った。男女比が逆転した。

	○	△	×	合計
今回	22%	12%	66%	100%
前回	36%	4%	60%	100%

⑤（③④「はい」の場合）それを自分のある意味のよさという意味で言いましたか——結果：よさの意味で言ったことのない人が0になった。

	○	△	×	合計
今回	69%	31%	0%	100%
前回	65%	21%	14%	100%

⑥（副詞的に）「ヘンタイにしゃべる」と違和感なく言えますか——結果：前回と大差なく、言えない人が大半を占めた。

	○	△	×	合計
今回	8%	18%	74%	100%
前回	9%	9%	82%	100%

⑦あなたは「ヘンタイな絵」と違和感なく言えますか——結果：言える人が増え、約半数になった。

	○	△	×	合計
今回	41%	26%	33%	100%
前回	32%	23%	45%	100%

にせず使う人との分離が進み、使う人においては感性化が定着しているということかと思われる。
無論、三九人のアンケートから確たることが言えるかという疑問は、私にもある。ただ、この三九人が美学に関心を持っていて、人一倍自分の感じ方に敏感であろうことは、容易に推測できる。今回実施前に、その彼（女）らの答えに期待したのは、この語の感性化がグッと進み、多くの若者の感性において、標準や平均からの個性的逸脱を美的にとらえる感じ方が定着している様だった。しかしその期待は当たらなかった。

結果から言えるのは、そのような感性化が（マスコミやネット社会で大きな波が起きない限り）多くの人に一様に、一定のペースで進むとは限らず、非常に緩慢に進むか、あるいは半感性化の状態に留まるものがあるということである。「半感性化」とは、知性的・否定的意味と感性的・肯定的意味とが拮抗している状態を意味するだろう。実際の使用の場面に即して言えば、この語がどちらの意味で使われているのか不明確で、言われた人としては、けなされたのか、褒められたのか、すぐにはわからないということだ。現代の若者は、この危うさを楽しんでいるのかもしれない。

今回のアンケートに関連して、慶應大学大学院生の田中優さんから、「エッチ」について情報を提供していただいた。これは『広辞苑』第七版で「「変態」のローマ字書きhentaiの略」と説明されるとおり、「ヘンタイ」の派生形である。彼は「個人的な感じ方」として、これがもっぱら音楽について使われるとした上で、そこに性的な「いやらしい」という響きはほとんどなく、「「エモい」の中でもさらに内奥の快に訴えかけてくる強力な表現をおどけつつ称賛する言葉」と分析する。

たった今触れた「危うさ」が、音楽表現の深さと強さを言い表わすのに貢献しているということだろう。すると、そこから二つの観察を取り出すことができる。まずこれは、「エッチ」という元来否定的な意味を持った語が、卓抜な音楽表現と結びついて、新たな美的質を成すという意味で、「感性の統合反転作用」の一例と言え（第４講第２節［３］「統合反転作用」参照）、したがってここでは、感性化が成就している。次に、「ヘンタイ」から「エッチ」に枝分かれして、ある領域に特有の美的質を指すようになったこの場合のように、感性化にはさまざまに複雑な過程があり得る。

第４講　感　性

我々はこれまで「感性」を心の「感じる働き」として議論を進めてきた。第２講「三大価値の中の美」でしたように、知・情・意を真・美・善に対応させ、「三大」を厳密に取ると、情すなわち感性は、ものごとを知りわかる働きである知性、および行為を律する働きである理性とは異なる、独特の働き方をするはずである。それを見極めるのが、本講の目的である。

ここで、本講の内容理解に必要なかぎりで、感性の働きを中心に、私の踏まえる認識の図式を提示しよう。まず、外界のここにあるものをとらえる感覚作用に加えて、ここにないものを、あたかもあるかのように思い描く想像力をも、感性に含めることとする。次に、知覚（perception）をどこに位置づけるかは難しい問題だが、感覚以後の感性の働きと考えておこう。感性はここで感覚内容を加工する働きをする。想像力と感覚・知覚との関係は、棚上げにする。

古典的な認識図式において、我々の通常の知性的判定では、感覚と知覚のとらえたもの（知覚内容）および想像力の思い描いたもの（像）が知性に送り届けられ、概念へと包摂される。この場合感性はここで働きを終えるが、美の判定においては、知覚内容や像が知性に送られず、感性のさらなる判定にかけられる。その結果快の感情が得られれば、それが美である（この二つの判定経路は、第2講の図表2-3で示したとおりである）。感性はこのように、感覚ないし想像力に始まり、快・不快の判定に終わる心の働きである。これ以後の論では、必要ない限り、この感性の働きを一体のものとして扱う。以上を図示したのが、図表4-1である。

ところで、感性が感覚作用に始まる以上、感性の判定対象は感覚の幅と精度に依存する。たとえば、人間の耳は二〇～二万ヘルツの音高をとらえると一般的に言われるが、人によって実際の範囲は異なる。また、エスキモーの人々は、驚異的な視力を持っているそうだ。このように、感覚の働きには個人差があるが、感覚を含む感性の働きについて論じるには、ある平均的なものを想定せざるを得ない。しかし逆に見れば、感性の働きは、一部個人差が見えるほど観察しやすいと

図表4-1　感性を中心とする認識の図式

も言える。

第1節　感性化

［1］感性化の構造と例

通常の認識では、感覚内容や像は知性に送られて三項構造の判定にもたらされるが、その第三項を排除して二項構造に持ち込み、感性による美的判定にかけることがあり得る。これが「感性化」と私の呼ぶ変化である。たとえば、一般的な見方によれば劣っている服装を「乙な着こなし」ととらえ直す場合を考えてみよう。常識的には、その服装を「普通」に合致していないゆえに否定的に判定するのに対して、同じものをそれ自体として判定するときに、個性的なよさに気づく、それが「乙な」という美的質の内容だ。このとき、判定の構造は「普通」を含む三項関係から、含まない二項関係に移行している（この第三項の排除は、多くの場合、気づかないうちに自然発生的に起きるが、意識的に行なわれる場合もあるだろう）。

ところで、第2講第3節［1］「真と善の判定構造」で触れたとおり、真なるものの判定における基準にせよ、善の判定における理念にせよ、それは社会的に形成されたものだ。感性化においてこの第三項が排除されるのなら、感性化とは非社会化でもあると言えるだろうか。ある面でそのとおりだ。「乙な」の例で見ても、社会に共有される「普通」から、個人の感じ方に判定の拠り所が移っている。しかしそれでは、感性化によって社会性が全く排除されるかというと、そうではない。第1講第3節［1］で見たように、美的判定には主観的普遍性の形で社会性が組み込まれている。

　実は我々はすでに、この「感性化」の現象を扱っている。前講第3節［2］「美的質の歴史的変化」で、ノスタルジアを例に、もともと感性と無関係であった心の状態（病）が、時代とともに変化し、最終的には美的質（美的概念）に為り変わったことを見た。まさに感性化である（「美的質」は英語 aesthetic quality の訳語だが、これは「感性的質」とも訳し得る）。同じことが現代で、多少強調的に言えば、刻々起きていることを、同節［3］「現代の美的質」で示した。

　また、第2講第3節［4］「美の自律性と美学の成立」で見たバウムガルテンの考え方も、感性のとらえた内容を、知性による判明な認識に送り届けず、あくまでも感性の判定に留める点、感性化を語っているとも考えられる。

　感性化は、そのように、対象が何であるかにかかわらず、判定主体の側で、心の働きの変化として生じる場合もあれば、対象の側で起きることもある。たとえば犬はかつて、家の番から狩猟補助や遭難者救助に至るまで、様々な役割を果たす家畜であった。しかし現代の都会生活において、犬がそのような役に立つことはほとんどなく、愛玩動物になりきっていると言ってよい（盲導犬は別だ）。つまり犬は歴史的に「かわいい」存在へと感性化した。これに伴って、小型犬や性格のおとなしい犬など、好まれる犬の性質も変化している。あるいは、もともとは何かを祈念したり地域の威光を示したりするような実利的な目的を持っていた神社の祭は、観光の対象となることで感性化し、行事内容も多少の変化をこうむらざるを得ないことも、同様の例と言ってよい（観光が感性の営みであることについては『あじわいの構造』第五章を参照していただきたい）。

もう一つ、そもそも我々の美の定義である「私に快と感じられる、もののよさ」に、実はすでに一つの感性化が含まれていた。なぜなら美的判定とは、もののよさを感性で測ること、言うなれば、感性が、自分の領域に引き込んだ対象の中から、自分の気に入ったものを選ぶことだからである。この意味の感性化に対して、ノスタルジアにおけるような感性化は、いわばその前段階として、対象を美的判定に送り届けるまでの過程を指す。我々としては、美的判定が本質的に感性化の一つであることを意識しつつも、今後「感性化」の語でこの前段階の方を指すこととする。

［2］感性化の時代

現代は感性化の時代だ。かつては知性や理性の尺度で測られていたが、現代では感性で測られるようになったものが多い。前項と第3講第3節［3］「現代の美的質」で挙げたすべての例がそれに当たる。日本でこの傾向が特に強いのではないかと思われるのは、外国語の単語がカタカナ書きで日本語化される際、しばしば感性化が生じ、美的質を意味するように変化しているからである。

最もわかりやすい例が「スマート」だろう。英語 smart は（「痛み」を意味するドイツ語 Schmerz と同根であるという興味深い事実は措くとして）、美的に優れている（あかぬけている）以上に、知的に優れている（頭がいい）ことを表わすが、日本語「スマート」は専ら美的な質だ。同様に、英語

naiveは「だまされやすい」という知的に否定的な意味を持ち得るので、誰かについて言うには注意を要するが、日本語「ナイーヴ」は「純真」に近い美的質を表わす。もう一つだけ例を挙げれば、英語simplyは、たとえばsimply wrongと言えば、「端的に誤り」を意味するだけだが、日本語でたとえば「シンプルに考える」と言うような場合、「簡潔に」に近い美的ニュアンスが伴っているのではないだろうか。

　現代日本人の感性重視の傾向は、私が教室でときどき学生と行なうやりとりからも知ることができる。「あなたは正しい生き方と、美しい生き方の、どちらを求めますか」と尋ねる私に、これまで例外なしに全員が後者の答えをした。あるいは逆に、「あなたは悪い奴と言われるのと、汚い奴と言われるのと、どちらがいやですか」の問いには、やはり全員が後者と答えた。この感じ方は若者だけでなく、現代の全年代の人に共通するのではないだろうか。もしそうだとすれば、それは現代日本人がいかに美と感性を大切にしているかの表われである。

　ただし、この感性化は、現代に始まったことではない。第7講第2節［3］「芸術の効用と危険」では、大正初期の例に即して、社会の問題を個人の心情の問題に置換する「日本的叙情」を指摘するし、大きく時代を遡って、佐々木健一が編書Asian Aestheticsで（十頁）、『日本絵画と歳時——景物画史論』における武田恒夫の指摘（六頁）を解釈して言うように、日本ではすでに古代に梅花の感性化が生じていた。すなわち、移入元の中国では、梅が冬の寒さに抗して花を咲かせる強さにおいて、倫理的に愛でられたのに対して、日本では花の姿と香りが美的に観賞された。日本人は伝統的に、ものごとを感性的に捉える傾向があるのかもしれない。

第２節　感性の独特な働き

〔１〕多を一とする感性

我々は第１講第３節〔２〕「美の客観的説明方式」で、西洋における美の伝統的説明の代表として、多様の統一の理論があることを見た。それは一見、純粋客観的な美の説明であるかに見えながら、「統一」は実は感性の働きなのであった。このことからわかるように、感性には、二つ（以上）の要素をまとめて一つの美的なものとしてとらえる働きがある。左右部分の重ね合わせから生じる左右対称、二音（以上）を一つの響きと聞くことから生じる和音はもちろんそうだし、講演者のくしゃみにしても、高邁な講演内容と歪んだ顔とを一つの「滑稽」というとらえ方へまとめる過程を、感性が担っている。感性の働きの細目で言えば、ここには、物理的にはここにないものをあたかもあるかのように思い描く力としての想像力が働いている。このように、複数の要素を一つにとらえる働きを、感性の統合作用と呼ぼう。

その内容を分析する前に、この作用と我々の美の定義の関係を考えよう。美の定義における、「もののよさ」を私の「快」で測るという判定構造は、物理的状態（たとえば二つの要素）から新たに主観的なとらえ方（一つの知覚）を形成する、感性の働きの一つと考えることができる。したがって、これから観察する感性の働きは、我々の美の定義に沿っている。

この「統合」を詳しく分析するため、統合作用の最も興味深い局面である和音を取り上げよう。ドとミの和音を考えると、この二つの音をピアノで同時に鳴らすとき、耳はこれを「長三度の和音」という一つのものととらえる。

しかし、ここが不思議なのだが、耳は他方で、二つの音をそれぞれしっかり別のものとしても聞いている。その証拠に、一方の指を鍵から離すと、それと気付く。さらに言えば、二つの音を和音としてでなく別箇の音音ととらえるため、どちらか一つの音を聞こうとすると、もう一つの音は邪魔で、ない方がいい。ちょうど単眼鏡で何かを見ようとするとき、もう一方の目の像が邪魔で、そちらの目を瞑ったりするように。しかしこれを和音ととらえると、この邪魔さは一切感じられない。つまり物理的には二つの音であるものを、耳はそのまま二つの音ととらえながら、同時にそれを二つの音でなく一つの和音ととらえているのである。単眼鏡の例は、我々が無意識のうちに、脳内で両目の伝える二つの像を合成していることを語っている。ここでは、二つであって二つでない、一つであって一つでないという矛盾律の侵犯が起きている。

いや、これを特に不思議なことと言う必要はないかもしれない。なぜなら、感性の働きの細目に目を向けると、その第一段階である感覚作用が外界の客観的状況を二つのものとして受け入れたところ、次の知覚の段階でそれを一つにまとめたと考えればよいだろう（心理学ではこのまとめる働きをプレグナンツの傾向と呼ぶようだ）。その場合でも、感覚と知覚は感性の働きに含まれるのだから、感性が二つのものを一つにする働きをしていることに変わりはない。

同じことは、二つの音だけでなく、三和音や、その上に三度音程を加えて作る七、九などの和音にも当てはまる。西洋の対位法は、各声部の横の流れをそれぞれ独立に走らせながら（つまり各瞬間で見れば個々の音として提示しながら）、同時にそれらが縦に形成する和音をも聞かせるという形で、耳のこの統合作用を極限にまで活用した。

次に、この和音現象を隣接の現象と比較してみよう。まず、やはり音を操作する営みである言語だ。二人の人に同時に話しかけられると、耳はその音をとらえ、知性に送り届けるが、知性はそれを処理することができず、どちらの人の話も理解できない。あるいはどちらか一人の話に集中しようと思うと、他方の話は単に邪魔になるだけだ。知性には統合作用がない。

続いて、色の混合を考えよう。たとえば白の絵の具と赤の絵の具を混ぜ合わせるとどうだろう。中間のピンク色になって、もとの白と赤はもはやそれとしては見えなくなっている。でもそれは目の解像力に依存しているだけでしょ、とあなたは反論するかもしれない。もし目が顕微鏡的に絵の具の粒子を見分ける力を有していたら、ちょうど草間彌生の絵のように、水玉模様風に見えるだろうというわけだ。しかしここでも、無数の粒子をまとめて「水玉模様風」という美的質ととらえるところに、統合作用が働いている。そうでなく、肉眼でピンク色に見えるのは、通常の感覚を前提とするかぎり、対象の側で変化が起きているのだと説明できるだろう。つまりここには感性の統合作用は働いていない。

[2] 不快を好む感性

感性が、知性や理性と一層異なった振舞いを見せるのは、負の価値を持つものに対してである。知性と理性は、負のもの、つまり偽と悪を正と善から見分け、切り捨てる。それに対して、感性は不快を必ずしも斥けない。例として、マゾヒズムが最もわかりやすい。身体的・精神的苦痛を快感と感じるわけだから、負の価値を正の価値と判定するということであり、知性になぞらえれば偽を正と判定すること、理性ならば悪を善と判定することに相当し、凡そ話にならない。ではこれは少数派の性的嗜好にのみ当てはまる特殊例かと言えば、そうではない。遊園地の絶叫マシーンやホラー映画の人気は、人々が恐怖という不快をいかに強く求めるかを証しているし、温泉施設におけるサウナや電気風呂は、不快がすなわち快であることを語っている。なお、これらの快は、「もののよさ」の要素が弱く、ホラー映画やサウナなどは主体の快のための手段という性格が強いだろうから、美ではなく、心地よいものである。

ここで注意すべきは、快と苦が完全に同時、一体であることだ。たとえばマゾヒストは、苦痛そのものは忌むべきものと感じながら、後からやってくる快を期待して忍従するのではおそらくない。サウナにしても、気温百度ほどの熱さ（暑さではない）そのものが快いのであって、必ずしも後で浴びる冷たいシャワーを思い描きながら耐えているのではない。もしここで苦と快の間に時間差があるとするなら、より大きな善を得るために、当面の小さな悪に甘んじるという普通の打算的行為と変わらなくなる。たとえば我々が貯金をするのは、将来の安定した生活または大きな買い物という大きな善のために、目前の買い物などを我慢するという小さな悪を引き受けることにほかならない。このような知性と理性の判定とは別種の判定を、感性は行なうのである。

快と不快のこの同時性・一体性は、心理学で言う「獲得・損失効果（gain-loss effect）」では説明できない。この理論は、「人が他者から誉められたりけなされたりという対人的評価を受けた場合に、最初から最後まで正の評価をした人よりも、負から徐々に正へと変化した人の方が好かれる（獲得効果）」（有斐閣『心理学辞典』奥田秀宇執筆）ことを説明する（逆に正から負に変化した場合に、一層嫌われるのが損失効果だ）。これはあくまでも実際の時間経過を前提としている。これは、好《こう》（正）と悪《お》（負）の間に時間差がある点、我々がここで問題にしている感性の機制とは別物と考えた方がいい。

また、感性において負と正が重なり合うのに似た事態として、精神分析が「両価感情（Ambivalenz）」と呼ぶ機制がある。典型的なのが愛情と憎悪の同時性で、対象を愛することの裏に憎むことが、あるいは逆に憎むことの裏に愛することが含まれるということだ。感性の働きに即して言い換えれば、対象を快と判定することの裏に不快が潜んでいるということである。しかしこれは、我々が見ようとしている感性の働きとは区別すべきだろう。なぜならば、両価感情においては、愛か憎かのどちらか一方だけが意識され、他方は意識下に抑圧されるのに対し、感性は苦を快と感じる以上、苦と快の両方が意識されていると考えられるからである。

では感性は、あらゆる苦をいつも快と判定するのだろうか。そうではない。マゾヒズムに与するかは人ごとの問題だし、マゾヒストの中でもいかなる苦痛を快とするかは、おそらく一人一人異なるだろう。絶叫マシーンや電気風呂も、好き好きがあるし、同じ人でもいつも快であるかはわからない。感性のこのような気まぐれさは、やはり知性、理性と異なる点だが、もしそこに（アンケート結果ではなく）一定の客観的法則のようなものが見出されるとすれば、それはとりもなおさず快の判定を律する法則であるはずで、私に感じられる快が、一定の客観的法則に還元されたことになる。しかしそのような純粋客観的な快の説明が不可能であることを、我々は美の快の検討から、知っている（第1講第3節［2］「美の客観的説明方式」参照）。

［3］統合反転作用

感性の統合作用は、味覚においても認められる。私はいつも教室で苦甘さを例として、これを説明している。苦みと甘みは、感性の統合作用以前の物理的状態では、別々の味である。しかしここに感性の統合作用が働くと、二つの味は合して「苦甘さ」という一つのあじわいとなる（味覚の現象だが、「趣味」を介して通じるところもあるので、一つの美的質と言っておこう）。このとき、苦《にが》みはそれ自体としては文字通り苦《く》であるのに、甘さと結合すると、甘さを阻害するどころか、却って引き立てている。感性の働きによって、負の価が正に反転しているのである。私はこれを「感性の統合反転作用」と呼んでいる。これを図示したのが図表4-2である。

この図で、左側の目盛りにゼロがないことにご注意いただきたい。感性は快・不快の判定において、正（快）でも負（不快）でもないものをとらえない。それはちょうどよいと感じることではなく（それは一種の快だ）、何も感じないこと、感性が判定をしていないことだからである。言い換えれば、感性の判定において、快と不快は直《じか》に、連続的に隣り合う。

もう一つ、図の「作用前」、「作用後」という表現は、この過程が時間的に展開することを含意してしまいそうだが、前項で見たように、苦と快は完全に同時、一体なのだから、この図解は作用の構造をわかりやすくするために時の比喩を用いているにすぎないと理解していただきたい。

感性の統合作用におけるこの負から正への陽性反転は、他の統合過程にも認められる。和音において、統合前の一方の音は、他方の音を聞き取るための邪魔になっていた（負の価を取っていた）が、統合後は快い和音の構成要素という正の価を取る（この過程は、通常、意識されない）。講演者のくしゃみにおける歪んだ顔、ノスタルジアにおける過去事物の喪失感など、我々が取り上げたすべての場合において、価はもともとの負から正へと変化している。

図表4-2　「苦甘さ」における感性の統合反転作用

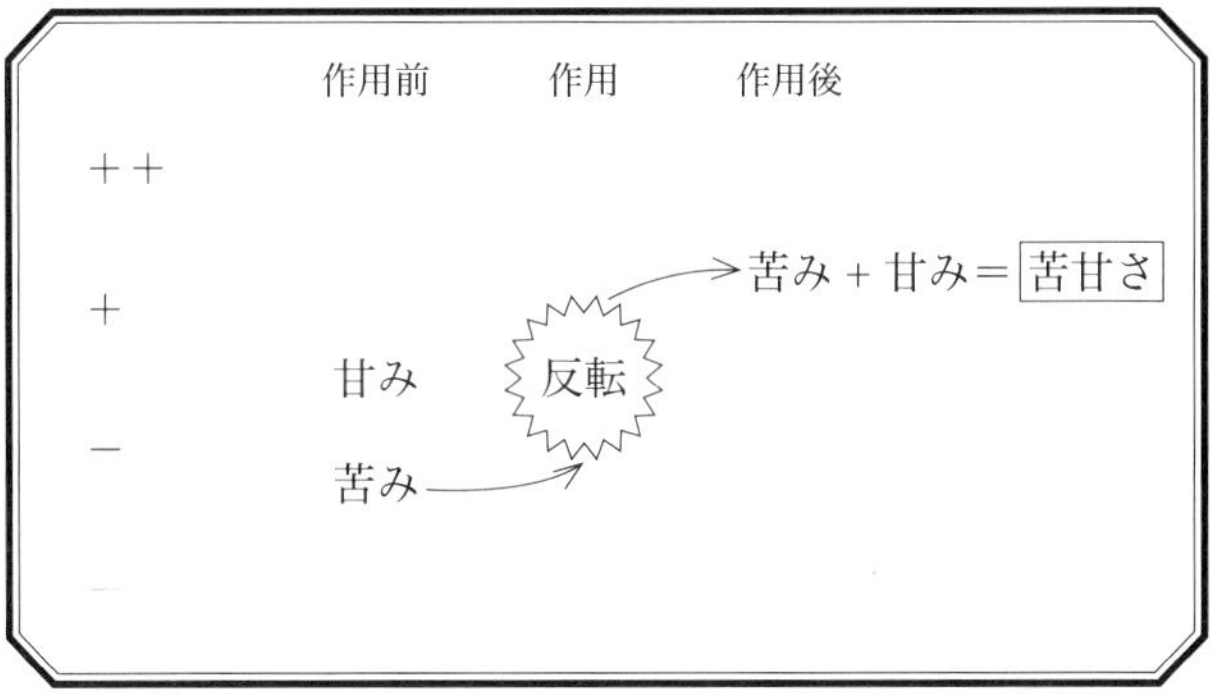

では逆の陰性方向はあり得ないのだろうか。正の要素が負の要素と統合されて、負の美的質を形成する場合である。講演者のくしゃみで言えば、立派な講演内容が、くしゃみで歪んだ顔の方に反転して、負の価を取るということだ。これは「汚点がつく」と言われる事態だろう。この場合、たしかに講演の正の価は減じる。しかし「汚点」とは、文字通りしみであり欠点であって、全体にわたるものではない。周囲の（きれいな）地《じ》の中で際立っているわけだ。したがって、ここに統合は起きていない。

　この問いはまた、負の、不快な美的質があり得るかという問いを含んでいるが（美的範疇の一つに数えられた「醜」は、たとえば「ブサかわいい」がそうであるように、かたちの欠如を快とする感じ方を表わす）、我々としては「私に快と感じられる、もののよさ」という美の定義に照らして、それはないと答えよう。もしそのような例が見つかれば、私は美の定義自体を見直さなければならなくなるだろう。

　陽性、陰性に続き、もう一つ考えられる水平（プラス・マイナスなし）の統合というものが、感性の働きとしてはあり得ないことは、すでに明らかである。たった今、図表４−２の説明で述べた、ゼロのなさのことであって、快も不快も感じないとすれば、それはとりもなおさず感性が働いていないということだ。ここから、いくぶん暫定的にではあるが、感性の統合作用は、負から正への陽性反転を伴うと結論しよう。

　さて、感性の陽性統合反転作用の極端な例として、前著『危険な「美学」』で詳しく説明したのが、「散華」の比喩である。ここではこの作用の持つ大きな危険を理解していただくため、最低限のことを繰り返すに止め、詳細は同書第四章「『散華』の比喩と軍歌〈同期の桜〉」をご覧いただくことにしたい。

「散華」とは太平洋戦争中、戦死とりわけ特攻死を美化する表現として多用された。ここで言う「華」とは、日本人にとっての美の極みである桜、なかでも万樹一斉に咲き、一斉に散るソメイヨシノのことである。したがって「散華」とは、特攻死を桜の落花になぞらえる語であり、ここに、死という負の極致と桜という美の最たるものが統合され、「壮絶」という美的質が生じている。それを表わすのが図表4-3である。

ここで戦死はマイナス2からプラス2へ大きく反転している（数字があくまでも比喩的であることをご理解いただきたい）。それは、桜がもともとプラス2の価を持っていたからである。つまり最も忌むべきものでも、特に大きな正の価を持つものと統合されれば、大反転をとげて、美的なものの極みに祭り上げられるということだ。ここで「散華」が桜と戦死を結び付ける触媒の役割を果たしている。（マイナスの方向に）絶対値の大きな「死」と結びつくには、（プラスの方向に）絶対値

図表4-3　「散華」における感性の大統合反転作用

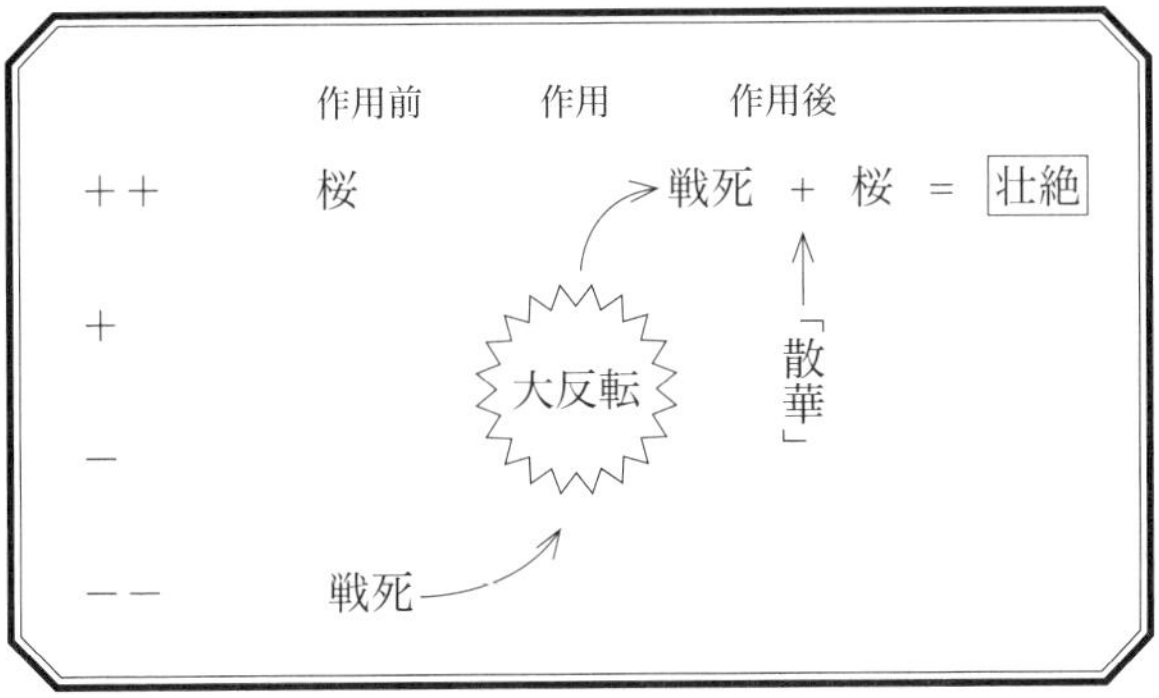

の小さな、たとえばタンポポの花（失礼！）ではそぐわないだろう。ここで、第3講第2節で見た、美的範疇（＝美的質）が人間実存に対して持つ強烈な魅力を考え合わせると、この「壮絶」が特攻隊員の心を激しく揺さぶったことに納得が行く。

　ただし、戦死を美醜の尺度で測る見方は、以前から日本にあったらしい。それは小説家菊池寛が飛行家の「曲乗り」をモジッて「曲死」と名付けたもので（『三浦右衛門の最後』）、戦国時代の武士たちが、人の目に立つ勇ましい死に方を追求していたというのだ。もちろん、これはあくまでもフィクションにすぎないが、切腹という現実の行為も、戦士としての死の美学の行使であったのかもしれない。そして太平洋戦争、将兵の振舞いは、しばしば武士のそれになぞらえられた。

　ここであなたは反論するかもしれない。桜、美、感性は軍国主義に利用されただけで、それら自体は何ら悪事を働いていないのではないかと。たしかに桜と美はそうだ。残る感性について検討する前に、もう一つ反論を聞いておこう。戦死を「散華」と表現した人（それを始めたのが誰であるかは特定できない）は、自己の利益を計るより、死を前にした若者の心を少しでも慰めようとの善意、一種の親心からこれを思いついたのではないか。私はこれも否定しない。たしかに本人や家族は、この言葉に大いに救われもしただろう。しかしこの表現が結果的に、戦争の本質から目を逸らさせ、あたら若者の命を縮めるのに加担したのは確かだ（特攻は「志願」の形を取ることが多かった）。その責任の一端が、感性にあると私は言いたい。何しろ、理性の尺度で測ればマイナス2であった戦死を、桜と統合して「壮絶」という美的質にまとめることによって、プラス2に祭り上げる働きをしたのは感性なのだから（第7講第2節［3］では、これを「善意の瞞着」と呼ぶ）。

これは、本節第1項で見たように、複数の要素を統合し、第2項で見たように負の価を正の価とする感性独特の働きによる。そして「散華」の例が示すのは、要素の一方が高い正の美的価値を有していると、それと統合されたものは、どんなに負の価の大きなものであっても、高い美的価値を帯びることである。つまり感性は、最悪のものを最美とする働きをする。

これは必ずしも戦争という特殊な状況でのみ生じる例外的なことではない。たとえば、ときどき耳にする「殺しの美学」という言葉は、「殺し」を、善悪でなく美醜の尺度で測ることを意味し、あたかもスマートなものでもあるかのように感じさせる。実際、これを扱ったマンガや映画もあるようだ。「人を殺してはならない」という誰も疑わない命題を、感性はやすやすと跳び越える。もちろん、これが言われるのは芸術作品の虚構世界においてであって、現実世界のことではない。しかし芸術はしばしば現実世界を方向付け、作り出しさえする（これについては第7講第2節［1］「芸術と現実」を参照）。このように、感性の独特の働きは、ときに大きな危険を冒す。この危険を避けるには、感性の判定を理性で検証する必要がある。三大価値の思想は、そのことを禁じてはいない。

［4］行為を律する感性

我々は第2講第3節［5］で美の感傷性を指摘した。美的判定は二項構造によるゆえ、主体から対象への適切な距離が取りにくいということだ。また、第6講第3節［3］「芸術の自律性」では、芸術至上主義や唯美主義の形での、感性の暴走を指摘する。いずれも、感性の不足や行きすぎを、知性と理性の働きで助けなければならないという趣旨である。

　では、逆に知性と理性を感性が助けることはできないのか。できると私は思う。感性には、知性や理性がとらえそこなうものを、鋭く感じ取る働きがある。よく言われるように、芸術家はしばしば、時代の流れを敏感にとらえたり、あるいは先取りするような作品を世に問う。一例だけ挙げれば、キューブリック（Stanley Kubrick, 1928–1999）の映画『二〇〇一年宇宙の旅（原題 2001: A Space Odyssey)』（一九六八年公開）におけるコンピュータＨＡＬは、まさに現代のＡＩ状況を先取りしている。

　芸術家ならずとも、感性の導きに従って自ら行為したり、他人の行為を判定したりする事態は、広く我々の経験するところだろう。なぜと尋ねられてうまく説明できないが、何となくそうする方がいいと感じられるということである。省みれば、我々は多くの場合、こうして自他の振舞いを判定しているのかもしれない。これを厳密に考えて、理性の働きの一現象形態と説明することも可能かもしれないが、「その方がいいと感じられる」という点を重視すれば、これを感性の働きの一つと認めることができるだろう。

　「常識」はこれを言うものだと思う。この基にある英語 common sense は、直訳すれば「共通の感覚」を意味する。この概念の複雑な歴史はさておき、ここでは万人に共通する感覚としての常識について考えよう。ところで、日本語の「常識」は、「識」の字が知識を連想させ、万人に共通する知識に限定されるように思われるかもしれないが、漢字の「識」は「意識」や「病識」の

「識」でもあり、感じることを含む。これは英語の sense と符合する。

つまり、常識とは、万人が共有すると信じられる知識の総体に基づきながら、個々の行為やできごとについて、よいか悪いかの判定を下す感覚を意味する。これは、我々の経験に即しているのではないだろうか。卑近な例を挙げれば、歩行者の私が赤信号で待つか、それとも左右を確認した上で行ってしまうかの場面で、「まあいいだろう」あるいは「それはまずい」という判断は、推論の結果としてではなく、ある感覚として、直《じか》に私にやって来る。しかしそれでいて、その判断には、信号を守るべきだという知識が働いている。たしかにそれも、究極的には理性の働きの一形態であるかもしれないし、あるいは理性と感性が究極的には一体であることを示しているのかもしれないが、我々自身の経験において、この感覚が感性を通じてやって来ることは確かである。

我々としては、このように美の判定の傍らにある、もう一つの感性の働きとして、行為を導き、判定する力を認めることにしよう。

補講４　感性の暗い働きと我々の美論の限界

第２講第３節［４］「美の自律性と美学の成立」で述べたとおり、バウムガルテンにおいて感性は「理性に類比的なもの」とされ、「感性的認識」は知性の行なう論理的認識の、いわば変種として説明された。これは二十世紀イタリアの哲学者クローチェ（Benedetto Croce, 1866–1952）がバウムガルテンを批判して、「主知主義的」と断ずる点だ（『美学』第二部「美学史」一九〇二年）。すなわち、感性が到達する「明晰・混然」な認識は、知性の到達する「明晰・判明」な認識すなわち真理から、単に量的に劣ったもの、言い換えれば偽を含む真という曖昧な位置を、美に与えているにすぎないと言うのだ。クローチェはそれに対して、想像力という、知性の行使する論理とは別箇独立の心の働きを感性に帰し、それこそが美をとらえるのだと論じる。ここではクローチェの思想そのものに立ち入るのは控え、彼の指摘が我々の考えにどのような意味を持つかを検討したい。

古来西洋では、知性は、暗い無知状態を照らして明るくする働きと表象されてきた。英語の to make clear は「明らかにする」すなわち「明るくする」ことであり、啓蒙（啓は開く、蒙は暗い）

思想に対応するフランス語は les Lumières、まさに「光」の複数形だ。すると、感性の働きを知性になぞらえて説明するのは、感性を、心の明るい働きと見ることにほかならない。しかし、本講第2節［2］「不快を好む感性」で明らかにしたように、感性の下す判定には、苦（負の価値）を快（正の価値）とする、言うなれば「－x＝＋x」とする、知性とはおよそ類比的でない判定構造が含まれていて、まさにそれ故の大きな危険もあるのだった（第2講の補講では、三島由紀夫の描くその悪魔的な力を説明した）。

さらに言えば、フロイトが提唱したように、無意識が我々の意識や行動に影響を及ぼすのだとすれば、意識の働きにほかならない認識や決断は、そもそも筋道立てて説明することのできない暗い原理に、根本において左右されていることになる。バウムガルテン流の美学では、感性のこの暗い働きは説明できない。では我々の美論の場合は、どうだろうか。

我々の美の定義は「私に快と感じられる、もののよさ」であった。ここに含まれる二つの要素のうち、「快」は問題ない。統合反転作用を経て美的になったものも、私がずっと、あるいはもっと強くそれに接し（てい）たいと思えば、それは快である。問題は「もの」だ。ここで言う「もの」とは対象であり、「もののよさ」は対象化を前提とする。しかるに対象すなわちラテン語 objectum は、語源的に「前に投げられたもの」を意味する。つまりあちら側にあって、こちらにないものだ。これまで本書が説いてきたこのような美を、調和型の美と呼ぼう。

それに対して、「こちら」にあって、あちら、あれと言えない美、それは人を引きずり込み圧倒する類の美である（ニーチェはこれをディオニュソス的なものと呼んだ）。音楽で言えば、ピアニストの演奏を、細部にまで注意をこらして聴く中で見出されるのが調和型の美であるのに対して、ロックのライヴのように、演奏者も含めてそこにいる全員を一体化するのが、圧倒型の美である（これは力の過剰としての崇高と一見似ているが、崇高の判定においては、判定主体と判定対象の別が措定されているし、そもそも主体は力の直接及ばない安全な状況に身を置いていることが前提されているので、別物と見るべきだろう）。これは現代に始まったことではない。ロマン派の芸術は受け手を巻き込み、受け手を作品もろとも彼岸に誘うことを目論んだし、神秘主義の芸術は古今東西、現世からの超脱を目指すだろう。自然風景にしても、それこそ人を圧倒するほど大きな景観は、まさに「これ」ととらえられないかぎりで、「もののよさ」とは言えない。

いま試みに、我々の美の定義が圧倒型の美にどこまで有効（でない）かを測るため、感性の統合反転作用の極致と言うべき「散華」の美（本講第２節［３］参照）をこの定義で説明してみよう。死という最大の負であるものが、美の典型である桜に統合され、極大の正の美的価値を獲得するのであった。特攻隊員は「散華」を示唆する軍歌〈同期の桜〉を戦友と歌って「散華」の美に与ろうとするとき、無論快を感じている。しかしその快はいかなる「もの」について感じられるのだろうか。それは、国のために命を捧げる明日の自分の姿であると、ひとまずは言えるだろう。

しかしその壮絶な姿は、想像の中で明確な形を取れば取るほど一層大きな快を本人にもたらすだろうか。むしろその姿に「酔う」と言う方が当たっていないだろうか（もちろん、酔いたくて酔うのではなく、自分で自分を酔わせずには耐えられない人が多かっただろう）。何かに「酔う」には、それと一体化しなければならない。酒であれば、まさに体内に取り込むわけだし、比喩的に「勝利に酔う」には、勝利を我がことと感じる必要がある。「散華」の場合でも、想像された壮絶な姿を、あちら側に置いて観察するより、現在の自分と重ね合わせることで、人は死の恐怖を抑えたり、鼓舞されたりしたのではないだろうか。調和型の美の説明では、この心の動きは、仮に説明できたとしても、ひどく込み入った理論にならざるを得ないだろう。

結局のところ、我々の美の定義、そして第２講、第３講で展開した理論が圧倒型の美に弱いことは、率直に認めなければならない。しかし今さら気付いてみれば、感性の統合反転作用の理論は、「散華」の美を苦甘さという我々の日常的経験になぞらえることで、この圧倒型の美の説明に、何とか成功していたのではないだろうか。

このように感性の働きそのものの観察を深めることで、感性の働きを、知性に準じてでなく、それとして説明する理論、言ってみれば本当の感性学を構築することができるのではないだろうか。ただしそうなると、美の定義自体を見直さなければならなくなるかもしれないし、それに基づく諸理論も根本から考え直す必要が生じるかもしれない。すぐにとはいかずとも、果たすべき課題と思っている。

第2部
芸術とは何か

第2部では、芸術とは何かを論ずる。その目的は、芸術とはこのようなものだと理解を深めることで、あなたが芸術に何を求めるか、そしてどのような芸術と接するべきかを考える手がかりを提供することである。

感性化の時代である現代において、芸術の愛好者はかつてなく多い。それはとても結構なことなのだが、ではあなたは芸術に何を求めていますかと聞かれて、答えられる人は意外に少ないのではないだろうか。実践的にはわかっているが、言葉にして答えることができないだけだと言う人もいるだろうし、作品を見ると元気が出るからという理由で美術館に足を運ぶ人もいるかもしれない。しかしどちらの人も、芸術に接するとはどのようなことか、自分は芸術に何を求めているのかを自覚することで、その体験の輪郭が一層明確になり、自分の中で重みを増すのではないだろうか。

少し具体的に言えば、「芸術は感動だ」と言う人が、ではスポーツはどうですかと尋ねられるとどうだろう。「人々に感動を与えたい」と語る選手は多いし、フィギュア・スケートのように芸術の要素を少なからず持つ種目もある。芸術に、スポーツと同じしかたで接する人も、現実にいるだろう。

しかしそれではあまりにもったいない、と私は思うのだ（私はスポーツを低く見ているのではなく、芸術とは異なる営みだと言いたいだけだ。両者の異同については第7講第1節［3］「芸術とスポーツ」で論じている）。それはちょうど、サッカー観戦の経験の浅い人が試合を見て、「人が全力で走ってる」、「ボールが目まぐるしく行き来してる」、「このチームは勢いがある」と、それだけわかって満足するようなものだ（詳しい人に言わせると、ボールを持っていない選手を含めて、全員の動きを追う、知的で一種のポリフォニックなあじわい方があるそうだ）。

スポーツの中継には必ず解説者がいて、試合の見どころをわかりやすく教えてくれる。視聴者は誰でも多かれ少なかれスポーツの経験があるので、その楽しさと難しさが少しはわかっている。

芸術はどうか。美術館では、プレートに作品解説が書いてあったり、音声ガイドもある。芝居やコンサートでは、プログラムがあって、作品や演技について、個別の情報は得られる。しかしスポーツにおける実体験に相当するものが、多くの人に共有されているだろうか。たしかに高校の科目に「芸術」はあり、音楽、美術、工芸、書道が教えられている。しかしその授業時間は少なく、多くの人にとって、芸術を体験する機会になっているとは到底言えないのではないだろうか。この授業から、芸術との接し方を体得する目的は、なかなか果たせないだろう。

その目的を理論の面から果たそうとするのが、この第2部である。そのため、ここでも、過去の学説を紹介するのではなく、拙くも私の言葉で、私の考え方を説明したい。その内容は、術の中の術であり、術のための術であり、術を超える術であるという三つの規定で、芸術を説明しようとするものである。そのそれぞれの規定を、各講で論じる。

第５講　芸術は術の中の術

「芸術」は山や川と違って、そこにあるものではなく、特殊なものの見方である（実は山や川も、本当に「そこにある」かは疑わしい。どのようなものを、そしてどこまでをそれと見るかは、我々の慣習的判断による）。つまり、絵を描き、歌を歌い、躍る行為は、おそらく世界中のどこでも、太古の昔から行なわれてきただろうが、ほとんどの人はそれを「芸術」と思うことなく行なったということだ。現代でも、たとえば読経する僧を歌手、芸術家とは言わないし、路傍の地蔵像を彫刻とは言わない。逆に、百年前は（少なくともヨーロッパの教養人から見て）低俗音楽の極みであったジャズは、現在では立派な芸術である。ではその「芸術」とはどのような見方で、どのように形成されたのか。そしてそれは我々にとってどのような意味を持つのか、それを論じるのが、本講である。

第１節　「藝術」「芸術」「アート」"art"

論に入る前に、この節では、まず言葉遣いを整理しておこう。私が語っているものとあなたが理解するものとが食い違わないようにするためである。

［1］「藝術」と「芸術」

東京芸術大学の正門（音楽学部側）に、図表5-1のような看板が掲げられている。「東京藝術大学」とある。これは戦後の一時期、学界の一部にあった旧字趣味（たとえば「美学会」と書くより「美學會」とする方が、重みが付くということだろう）ではない。もしそうなら、「学」も旧字にして、「東京藝術大學」とするはずだからだ。ここには、この大学の立派な見識が表われている。つまり「芸術」と書くのは、趣味の問題を超えて、明確に誤りであって、それの追究の府として、この誤りに与することはできないという考えだ。

その誤りは、一九四八年、国語審議会から文部大臣

図表5-1　東京芸術大学正門

に答申された「当用漢字字体表」に発する。これは「漢字の字体整理」のため「異体の統合、略体の採用、点画の整理などをはか」る中で採られた方針の第七「部分的に省略された例」の一つである。つまり藝↓芸の「整理」は、應↓応、懸↓県、疊↓畳と同様、艸（くさかんむり）と下の云（ウン）に挟まれた埶（ゲイ）の部分を略した形である。

　ところが驚くべきことに、そうしてできた新字の「芸」と同じ漢字が旧字にもあったのだ。「藝（ゲイ）」はもともと「植える」を意味するのに対し、旧字の「芸（ウン）」は「耘《ウン》」（耕耘《こううん》機の耘だ）に通じ、「草を刈る」の意味がある。植えると刈るでは、逆の意味だ。「藝」には、まさに「藝術」においてそうであるように、「わざ（≒art）」の意味もある。少々ややこしいので、図示しよう［図表5－2］。太字の部分が、現在の「芸」の字を成している。

　図からわかるとおり、新字「芸」は結果的に、音と意味を旧字「藝」から、字体を旧字「芸」という別の字から採って合体させてしまった格好だ。「東京」と書いて「おおさか」と読ませるようなものだ。そもそも略字あるいは略語を作るとき、既

図表5-2　「芸」の成り立ち

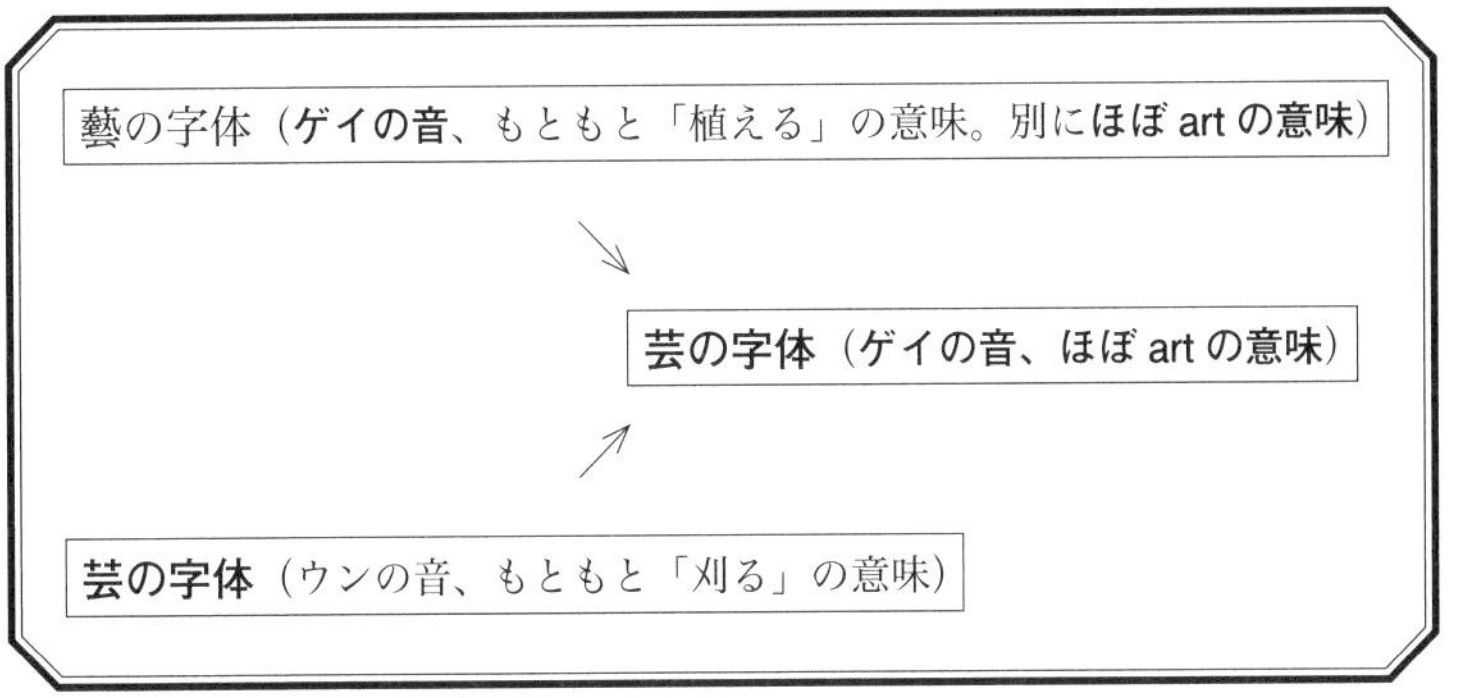

存のものと重ならないようにとの配慮は、多くの人のするところで、まして日本語専門家の集団である国語審議会がなぜこのような愚策を採ったのか、私には理解できない。新字「芸」は、このように端的に誤りと言ってよい。「東京藝術大学」はこの営みの専門家として、その誤りを受け入れないぞという気概を表わしている（ただし、余談だが、文科省向けなど、公式の場では「東京芸術大学」を使っているらしい。これを「二枚舌」と呼ぶかは、あなたの判断に委ねよう）。

さて、では我々としては、「芸術」と書くべきか、それとも「藝術」か。私としては七十年以上の慣例を重んじて「芸術」を採ることとしたい。

［2］「芸術」と「アート」

それ以上に実質的な意味を持つのが、「芸術」と「アート」の区別だ。次項ですぐに見るように、現代の「芸術」は事実上西洋語artの訳語として機能している。その音写あるいはカタカナ書きが、「アート」なのだから、両者には違いがなくてよさそうなものだが、日本語の現状では微妙な使い分けがある。この違いは、それを営む人である「芸術家」と「アーティスト」の区別に置き換えると、一層際立つ。社会性が前面に出るからだろう。たとえばクラシックのピアニストは文句なく「芸術家」であり「アーティスト」だ。彫刻家、陶芸家、写真家、それにファッションデザイナーも大丈夫だろう。ではロックバンドのメンバー、ダンサー、アニメーターはどうだろう。いずれも新しい活動ジャンルに属する。この人たちは「芸術家」の呼称になじまない。ヘアメイク・アーテイスト、フラワー・アーティストなどは、伝統的な美容師、華道家とは一線を画するだろう。

このように、「芸術家」と「アーティスト」そしてその基にある「芸術」と「アート」には、重なり合う部分とそうでない部分がある。ここに、「芸術」は伝統的なもの、「アート」は新たに出現したものと、両者を使い分ける余地がある。西村清和の『現代アートの哲学』（産業図書、一九九五）は明確にこの立場に立つ。たしかにそうすることで、前述の「アーティスト」の今日的状況に即応できる。

しかし私はこれを採らない。その理由として、まず、同一の原語artを、文脈に応じて、片や「芸術」、片や「アート」と訳し分けるのは、混乱を招く。何しろ英語artは、伝統的なものも現代のものも意味するのだから、両方を一括して論じている場合、何と訳すのだろうか。

また、このような訳し分けは便利だが、弊害も生む。その類例として私が教室でよく使うのが、哲学におけるideaの訳語だ。プラトンなら「イデア」、デカルトなら「観念」、カントなら「理念」と訳され、ヘーゲルの場合、「理念」と並んで「イデー」とされることもある。それぞれの哲学者の内部で見れば、この方がわかりやすいのだろうが、異なる哲学体系同士の関係が見えにくくなるし、同じ哲学者の中でも、あえて（多少の無理をして）独特の言葉遣いをしているような場合、その様子が伝わりにくくなるのではないだろうか。

もっと本質的な問題は、訳し分けることで、「芸術」と「アート」の連続性が見えにくくなることだ。これについては、本節［４］「現代芸術と伝統的芸術」で述べる。

本書では、現代的なものもすべて「芸術」と呼び、「アート」を使わない。

[3]「芸術」と"art"

これは言葉遣いの問題であるとともに、概念史にかかわる。「芸術（藝術）」は紀元後五世紀に成った『後漢書』に初出する純漢語である。しかしその意味は「技芸と学問。芸は書数射御、術は医方卜筮《ぼくぜい》」（『字通』）であって、現代とは異なる。日本の文献では、八世紀末に完成した『続日本紀』以来、十九世紀末まで「学芸と技術」、または「武芸と技術」の意味で用いられた。

『日本国語大辞典』第二版によると、「鑑賞の対象となるものを人為的に創造する技術」という現代的意味での「藝術」の初出は、ジェームス・カーティス・ヘボンの編になる『和英語林集成』再版（一八七二年）英和の部で、「Art, n, Jutsu, gei-jutsu; takumi, nō, kō, toku.」とある（nō は能、kō は工または巧、toku は徳か?）。ここでは gei と jutsu の間にハイフン（-）が置かれ、「河川」、「森林」のように「芸」と「術」を類似の二語として繋げているようにも見える（「藝術」の原義からして、そうだろう）。「術」、「巧み」なども、美の追求とは無関係で、むしろ「学芸と技術」を意味していると考えられる。次講で詳しく見るように、art はもともと術一般を表わしていたから、ヘボンはそこに焦点を当てていたのかもしれない。いずれにせよ、ここで語として「art ＝芸術」とされているのは確かだ。

それに対し、同辞典で第二に引用される福沢諭吉『通俗国権論』（一八七八年）に「今我國ノ有様ヲ西洋諸國ニ比較シテ文學藝術等彼ニ及ハザルモノ甚タ多キガ如クナレドモ」（四五頁）とあるのは、おそらく美の追求活動を指すと思われる（四一頁にも「文學藝術」とあるが、ほぼ同様の文脈である）。福沢が西洋の枠組みでこの語を使っているのも、見逃せない（十九世紀の日本における「芸術」の用法およびartとの関係については、『哲学・思想翻訳語事典』増補版における鈴木由加里執筆の項目「芸術」を参照）。

その後、多少の紆余曲折を経て、「芸術」はartの訳語として定着する。その「紆余曲折」を『日本国語大辞典』第二版は次のように説明している（「芸術」の「語誌」）。

> 明治初期にはむしろ同じ訳語に［引用者注：artの訳語として］「美術」を用いることがより一般的であり（たとえば明治五年（一八七二）の西周「美妙学説」、同一八年（一八八五）の坪内逍遙「小説神髄」）、「芸術」が新しい意義で定着するのは、ほぼ明治三〇年（一八九七）前後である。

同辞典によると、「美術」は明治初期にfine artsの訳語として造語されたようだから、前述のように独自の歴史を持つ「芸術」を、意味を変えて使うより、こちらにしておけば、誤解も少なく、また「美」を含んで実態にもよく合っていたのではないかと思うが、最終的に「芸術」が採られたのは、ひょっとすると前記『和英語林集成』におけるように、artの原義と「芸術」のそれとの対応が重視されてのことかもしれない。

念のため現代の用法を確認すると、『広辞苑』第七版には次のようにあり、「芸術」がartの訳語であることが明示されている。

げい‐じゅつ【芸術】

①〔後漢書（孝安帝紀）〕技芸と学術。

②（art）一定の材料・技術・身体などを駆使して、観賞的価値を創出する人間の活動およびその所産。絵画・彫刻・工芸・建築・詩・音楽・舞踊などの総称。特に絵画・彫刻など視覚にまつわるもののみを指す場合もある。

このことから、我々は本書で、「芸術」をartの訳語として用い、この語を使いながら、artについて語ることにしよう。

〔4〕現代芸術と伝統的芸術

本講第1節〔2〕で述べたように、本書では、「芸術」と「アート」の呼び分けをしない。その大きな理由が、伝統的芸術と現代芸術の連続性にある。たしかに現代芸術は伝統的芸術と違って、美の追求活動でないものが多く、ここに根本的な差がある。ここから、両者を別物と見る考えも生じるわけだ。しかし現代芸術は、否定という形で確実に伝統的芸術を継承している。

論に入る前に、予め二つのことを断わっておきたい。まず、いつからを「現代」とするかである。美術史や音楽史では、「現代」を第二次大戦終結に続く二十世紀後半からとすることが多いようだが、ここでは、実際の作品を醸成した思想的背景を重視して、二十世紀はじめのモダニズムを含めることにしたい。したがって、十九世紀までの芸術を伝統的芸術、二十世紀からの芸術を現代芸術とする。次にこれは、絶えず変化する現代の芸術のすべてを説明し尽くそうなどという無謀な企てではない。そもそも正直に言えば、私は現代芸術に疎い。その私にできるのは、現代芸術の一つの面を指摘することだけである。

さて、二十世紀はじめに、それまでの芸術の営みを否定し、破壊しようとしたのが、ダダの運動だった。『岩波西洋美術用語辞典』はダダを次のように説明している。

> 新しい造形の模索というよりは、戦争の結果としての虚無感を背景に、既成の価値観や秩序の破壊を目的とした反芸術的運動であった。

これは、第一次世界大戦という人類史上例のない大事件を経て、もはや人間を理性的存在とは信じられなくなった人々の懐疑の目（これが辞典の言う「虚無感」だ）が、伝統的芸術に向けられた結果にほかならない。フロイトの無意識の理論の影響も大きいだろう。すなわち人間が理性的判断によってのみ行為するのではないことが、理論的にも明るみに出されたのだ。こうして、人間を理性的存在と見るという伝統的芸術の前提が崩れた。

ここで注意すべきと私が思うのは、ダダと伝統的芸術との連続性である。伝統の破壊とは、身を同じ枠組みの中に置き、その行き先を内部から向け換える試みである。そうでなく、およそ芸術全般を制度ごと否定したいのなら、そもそも芸術作品を発表することもなかっただろう。ダダの代表者、デュシャンは『泉』〔図表5−3〕を、一九一七年、ニューヨークの独立芸術家協会展に出品した。つまりダダイストたちは、自らが前世紀からの芸術実践の線上に位置することを意識し、芸術の内部で、過去の方向を否定した。彼らの「破壊」とは、言うなれば継承、反省行為の一形態なのである。

図表5-3　マルセル・デュシャン『泉』（1917年）

では、彼らはそれまでの芸術の何を反省したのだろうか。それはまさに、芸術が美の追求活動であったことだと私は思う。第6講第3節［3］「芸術の自律性」で明らかにするように、芸術の自律性は三大価値、真・善・美における美の自律性に基礎づけられている。彫刻家・詩人の高村光太郎の戦争賛美詩は、日本におけるその極端な表われなのであった（拙著『危険な「美学」』第一章を参照していただきたい）。つまり芸術家は、世の中でどんなことが起きていようとも、アトリエにこもって美を追求していてよい、あるいはすべきだという考えである（もちろん芸術家の中にはそれぞれの状況の中で、まさに作品を通して、様々な政治的発言をした人も多いが、そうしないことを許容する余地が芸術の自律性の観念に含まれていたということだ）。

しかし、これには隠れた大きな前提がある。すなわち人間とは真・善・美を追求する基本的に理性的存在だという信念である。これを覆し、信念が単なる思い込みにすぎなかったことを実証したのが、第一次世界大戦である。なにしろ、ヨーロッパ人から見た全世界の全人民が敵と味方に分かれて憎み合い、殺し合ったのだ（もちろん例外も多い。たとえば『ドイツ戦没学生の手紙』を参照）。

　これを経験した芸術家達が、美の追求という芸術の限定性に批判の目を向けたのは当然のことで、それは二十一世紀の現代で、あえて政治的主張の強い作品を制作する芸術家に引き継がれていると、私は考えている。その間の一世紀に及ぶ芸術の実際の動向を検証することなく言い放つ乱暴な議論だが、現代芸術を美の追求活動の否定ととらえることで、現代の芸術家の振舞いの一面を説明することはできるのではないだろうか。

　もしそうだとすると、現代芸術は伝統的芸術に欠けていたものを補うことで、芸術の伝統に責任を取ろうとしている。これを片やアート、片や芸術という別存在と見てしまうと、現代芸術家は、よそごとである伝統的芸術を、何もわざわざ否定する必要もないのに、妙に力をこめて倒そうとしているように見えはすまいか。その姿は、独り相撲のような滑稽さを帯びる。そうではなく、彼らは腕を振り上げることで、反省の責任を果たしている、それが私の見方である。本書の芸術論に引きつけて言えば、伝統的芸術がいかなる営みであったかをまず理解することが、現代芸術の一面の洞察につながり得るということだ。

第2節　芸術概念の歴史

「芸術」という考え方は西洋の古代から近世にかけて徐々に形成され、十八世紀後期に確立された。この節では、その歴史を辿ろう。「概念」と言うと難しく聞こえるが、「Ｓとは何ですか」の問いに対する答え「ＳとはＰです」の「Ｐ」が、「Ｓの概念」であり、さらにそれは、理想的辞書（というものがあるとして）における定義であると、私は授業で説明している。しかしそれには、まず対象を「Ｓ」と名付け、相手に理解してもらう必要がある。したがって、芸術概念の確立とは、「芸術とはこれこれです」という答えにおいて、まず主語「芸術」が指すもの、そして述語「これこれ」の内容を多くの人が共有している状態を指す。

〔1〕西洋古代・中世の「術」の考え方

前節〔3〕で見たように、「芸術」はartの訳語として機能している。この英語はラテン語arsを介して、ギリシャ語「テクネー（τέχνη, technē）」に遡る。これは、英語technicやtechniqueの語源で、ものや状況を、一定の経験と知識に基づいて変化させる人間の力一般を意味した。大きく、自然に対する人為と言うこともできる。本書でこれを「術」と訳すことについては、すぐ後で説明する。さて、プラトンは対話篇『ソフィスト』の中で、「術（テクネー）」を図表５-４のように分類している（二六五Ａ—二六八Ｄ）。

「獲《と》る」術とは、狩猟、採掘のように、神に作られて自然に存在するものを獲得することである。人為によって「作る」術は、家をつくる大工術のように「もの自体（つまり実体）を作る術」と、絵画術のように「像」を作る術に分かれる。「像（eidōlon）」は、絵画のように目に見える像だけでなく、言葉で人の行為やできごとを描く詩（その代表は叙事詩である）も含まれると考えてよい。余談だが、eidōlon がラテン語を介して英語化したのが idol である。この英語の訳として「偶像」が用いられるのは、おそらくこの語源を意識してのことだろう。たしかに「アイドル」は実在の人が実体、実態を離れて偶像化したものだ。

この「像作りの術」は「模倣術」とも言われる。注意しなければならないのは、この「模倣」が、人が人を真似る「物真似」（この延長上に劇の演技がある）だけでなく、対象に似たもの（像）をもう一つ作ること、つまり再現をも意味するので、「像作りの術」に重なることだ（現代の「剽窃」の意味で「模倣」の語が用いられることは、古代ではあまりないと思う）。すると、この術は絵画、彫刻、詩、音楽、演劇を含み得る。実際にプラトンが挙げているのは絵画と音楽だけだが、彼の言う「音楽（ムーシケー）」とは、事実上器楽を含まない歌のことだから、ここに詩も含意されるし、古代では彫刻は彩色されていたので、絵画との差は現代より小さい。これに建築を加えれば、我々の「芸術」に重なる（もちろん、写真、アニメなどは除く）。事実、「模倣」は十八世紀に芸術概念が確立されおおせるまで

図表5-4　プラトンによる「術」の分類

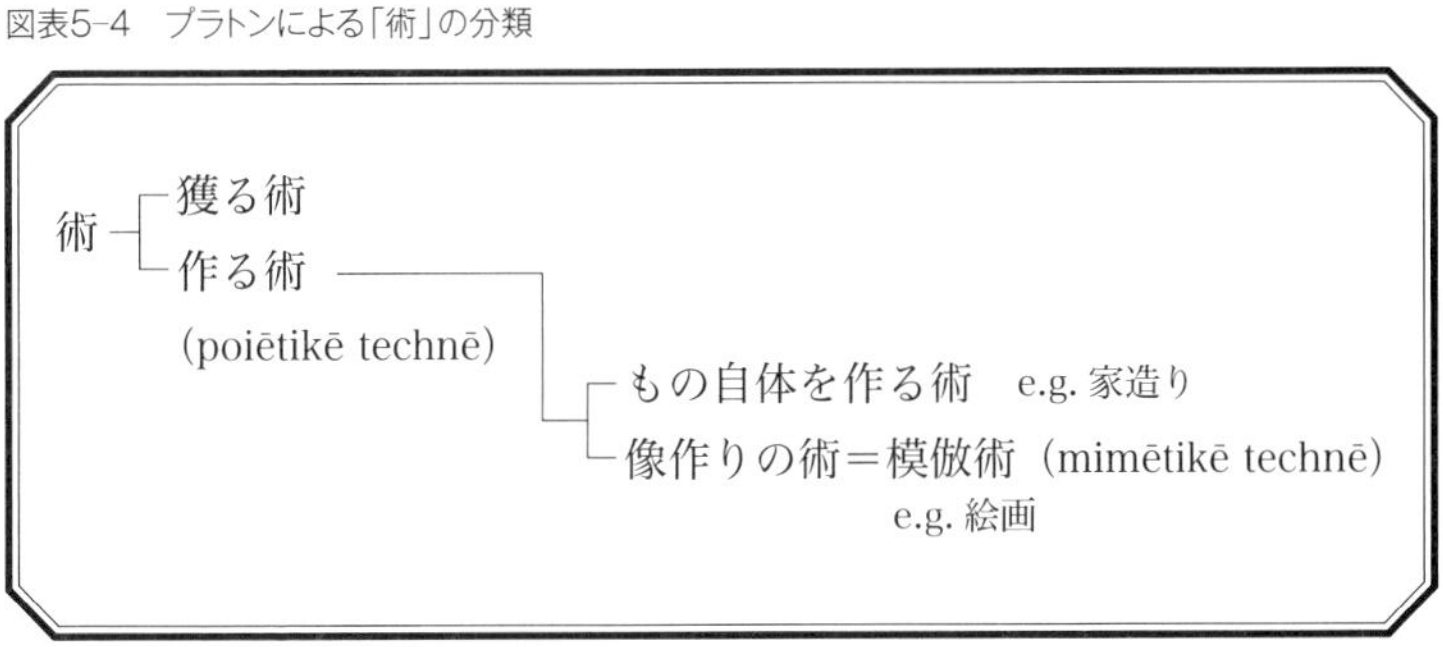

（次項参照）、芸術活動を説明する概念であった。

　このように、プラトンが「模倣術」とするものの中に、「芸術」概念の萌芽が認められるが、同時にそれは様々な「術」の一つにすぎない。また「模倣術」あるいは「像作りの術」とする括り方は、プラトン自身による理論的抽象の産物であり（事実、同書には他に多くの「術」分類が登場する）、弟子のアリストテレスにも引き継がれて、哲学の中では一つの伝統を成しはするものの、一般概念として人々の共有するところであったかは疑わしい。

　「テクネー」はその後、ギリシャ文化を熱心に摂取した古代ローマ人によって、「アルス（ars）」というラテン語に置き換えられた（この語もテクネーと同様、広くは人為を意味する）。それが読み取れる発言を、紀元前一世紀ローマの弁論家・哲学者キケロ（Marcus Tullius Cicero, 106–43 BC）の『弁論家について（De oratore）』から引用しよう（II, 38, 157. 津上訳）。

> ［ディオゲネスは］自分の伝えているのは、自分がギリシャ語で弁証術（dialektikēn［technēn］）と呼ぶ、うまく議論し、真偽を見分ける術（artem）であると［述べている］。

　ここには「テクネー」の語が直接出現するわけではないが、キケロがギリシャ語で提示する「弁論の」の意味の形容詞 dialektikos が dialektikēn と女性単数形を取っているのは、女性単数名詞 technē が了解されているからである。つまりキケロはギリシャ語 technē をラテン語に訳して ars としているのである。

西ヨーロッパでarsがどのように使われたかを見る前に、今後の話をわかりやすくするため、現代英語におけるartの意味とそれの訳語とする日本語の「術」の意味、そして両者の関係を見ておこう。まずOED（The Oxford English Dictionary）Onlineは“art”の説明として、次の三つの大区分を立てる。

Ⅰ　Skill; its display, application, or expression（技術）

Ⅱ　Senses relating to learning or study（学術）

Ⅲ　Crafty or cunning conduct; human or artificial agency（詐術）

他方、諸橋轍次編『大漢和辞典』修訂第二版の「術」の項は、この字の意味を「🈩㊀みち、㊁わざ、㊂のべる、㊃聚楽の名、㊄姓、🈔聚楽の名」と区分する。このうち我々に関係するのは「🈩㊁わざ」である。これはさらに「㋑學問技藝、㋺しごと、事業、㋩はかりごと、術数、權略」に分けられる。これをＯＥＤと見比べると、㋑はⅠとⅡに、㋺はⅠに、㋩はⅢに概ね対応することがわかる。つまり「術」の🈩㊁は、ＯＥＤの定義するartの意味にほぼ重なる。これが、“art”の訳語として「術」を選ぶ第一の理由である。第二の理由は、“art”がしばしば“the writer's art（著述術）”、“the art of government（統治術）”などと限定を付して使われるのと同様、「術」は「学術」、「武術」のように限定を付することで、多くの専門的活動を特定することができることである。現代語における「芸術」もその一つだ。

今後、ＯＥＤのⅠ、Ⅱ、Ⅲすべてを含む場合を「広義のart」および「術」とし、絵画、音楽などを指す場合を「狭義のart」および「芸術」と呼ぶことにしよう。すると先述のプラトンの考えは、広義のart（術）の一部門を特定するために「模倣の」という形容詞を付して、「模倣術」としたものが、現代の「狭義のart」すなわち「芸術」にほぼ重なる事態と整理することができる。

さて、西洋における「中世」を、紀元後六世紀から十三世紀までと考え、その時代の西洋におけるarsの考え方を見よう。ギリシャ語テクネーと同様、ラテン語arsも、ars memoriae（記憶術）、ars historica（歴史術）、navigationis（航海術）、agricultura（耕作術、農業）など、様々な術を指した。その中で、ギリシャ人の考え方に基づきながら、中等・高等教育の七つの学科目が体系化された。それがseptem artes liberalesである（artesはarsの複数形）。これは「七自由科」、「自由学芸」などと訳されることが多いが、この「自由（liberales）」とは、科目そのものが自由だと言っているのではなく、社会的身分としての「自由人」に相応しいことを意味する。そのことに注意を喚起するため、ここでは「自由人術」と呼ぶことにする。それはまず文系の「三科（trivium）」と理系の「四科（quadrivium）」に分けられ、それぞれの内訳は図表5-5のとおりである。

図表5-5　自由人術の内訳

自由人術
- 三科：grammatica, rhetorica, dialectica
  （文法術）（修辞術）（弁証術）
- 四科：arithmetica, geometria, astronomia, musica
  （算術）（幾何術）（天文術）（音楽術）

各科目の内容は、現代人が同じ語から想像するものとはだいぶ異なっていたようだ。たとえば「文法」は、要するにラテン語の勉強である。当時のあらゆる科目の本はラテン語で書かれていたから、それにアクセスするには、全員がまずラテン語を学ばなければならなかった（この時代、母語としてラテン語を話した人はもはやいない）。もっとも、この科目では、古典の詩も教えられたらしい。学生はまずこの三科で読み書き、議論のしかたを学んだ後、数や図形の仕組みと応用に進んだ。ここに「音楽術」が入っているのは、第1講第3節［2］「美の客観的説明方式」で説明したように、協和音程が弦長の比で数学的に説明できること〔図表1－5参照〕に基づくが、実際には聖歌の歌唱も教えられたようだ。

学生はこうして自由人術を学んだ後、医学、法学、神学のような専門課程に進むことができた。それは今日の日本の大学で、入学後まず一般教育科目の単位を取った上で専門科目を学ぶのと同じ構造ではないかと、あなたは思うかもしれない。そのとおりで、戦後日本の手本となったアメリカの大学制度で、liberal arts と呼ばれた思想の元には、中世のこの仕組みがあった。

このように、中世の ars は、一方で様々な「術」を意味したが、他方で知的な方向に発達して「学術」の意味合いを強くした（ＯＥＤのⅡがこれに当たる）。その中で、音楽だけが自由人術に含まれ、詩が「文法」の中で教えられたとは言え、絵画、彫刻は建築術などに属するものとして、一段低い「職人術（ars mechanica）」に位置づけられた。つまりプラトンの「模倣術」のように、現代の我々が「芸術」としてこれらの活動を一括りにする考えは、ここになかった。

［２］十八世紀における芸術概念の定式化

その後、十六世紀のメーイ（Girolamo Mei, 1519–1594）による芸術体系図のように、突出した思想が単発的に現われはしたものの、「芸術」の概念が整ったのは十八世紀半ばから後期にかけてのことである（メーイの考えについては、拙稿「古代理論を近代思想に仕立て直す：ジローラモ・メーイの芸術体系論」を参照していただきたい）。

その決定的な一歩を進めたのが、一七四六年に世に出たバトゥ（Charles Batteux, 1713–1780）の『美しい術々を同一の原理に還元する（Les beaux arts réduits à un même principe）』（山形熙による玉川大学出版部の日本語訳では単に『芸術論』とされている）である。縦一六、横一〇センチほどの版、大きめの活字で三百頁余りの比較的小規模な本だ［図表５－６］。ここでバトゥが「美しい術々」と言うものの内訳は、絵画、彫刻、舞踊、音楽、詩作のことで、建築を除けば現在の「芸術」に重なる。「美しい（beau）」は多義的で、「立派な」というほどの意味もあるが、彼が“la belle nature（美しい自然）”と言うときには、やはり「美」の面が表に立っていると思われる。また、現在では通常 beaux-arts と二語をハイフンで繋ぐ表記が行なわれるが（英語 fine arts はこれの訳である）、少なくとも初版にはこれがなく、beaux は単なる形容詞として名詞 arts を修飾しているので、「美しい」とする。さらに「術（art）」が複数形であることを忘れないため、聞き慣れない言い方ではあるが、あえて「術々」とした。「家々」、「人々」などに準じたものとご理解いただきたい。

彼は一通りの説明を終えたところで、次のように高らかに宣言する（初版四一–四二頁。津上訳）。

> 我々が今まで語ってきた諸芸術を定義するのは今や易しい…。人は絵画、彫刻、舞踊を、色によって、盛り上がりによって、姿勢によって表現された美しい自然の一つの模倣と定義するだろう。そして音楽と詩作を、音によってまたは詩律づけられた言説によって表現された美しい自然の模倣と「定義するだろう」。

先ほど挙げた絵画、彫刻、舞踊、音楽、詩作が、手段を異にしながら、同じ営みであると言うのだ。なお、この「詩作（la poësie）」とは、リズムの整った韻文による叙事詩や叙情詩のことで、古代からこの時代まで散文文学がマイナーな存在であったヨーロッパにおいては、言語芸術の大半を指し、我々が今日「文学」と呼ぶ

LES
BEAUX ARTS
REDUITS
A
UN MÊME PRINCIPE.
Ex noto fictum sequar.
Hor. Art. Poët.
A PARIS,
Chez DURAND, Libraire, rue S. Jacques, à S. Landry & au Griffon.
M. DCC. XLVI.
Avec Approbation & Privilége du Roi.

図表5–6　バトゥ『美しい術々を同一の原理に還元する』の初版本　扉頁

ものにほぼ匹敵すると考えてよい。

　さて、バトゥは、これらの諸術が「美しい自然の模倣（l'imitation de la belle Nature）」を行なうと言うのだが、これがこの本のタイトルにある「原理」にほかならない。つまり、絵画以下の「美しい術々」はすべて「美しい自然の模倣」という同一の原理に還元できるという主張である。出版当時から曖昧さが指摘された「美しい自然」の検討はここでは措くとすると、この主張は、「美しい術々はすべて模倣術である」と言っているに等しい。あなたはお気づきだろう。プラトンと同じ考えだ（ただし「序文」におけるバトゥは『詩学』におけるアリストテレスを念頭に置いている）。

　ここで何が起きたか、分析してみよう。まず、①絵画、彫刻、舞踊、音楽、詩作が自由人術とも職人術とも違う新たなカテゴリーにまとめられた。言い換えれば、我々が「芸術」と呼ぶものに「美しい術々」という名が与えられた。次に②それに「模倣術」という述語が与えられた。こうして主語と述語が揃い、「芸術」の概念がいちおう完成した。また③それらが「立派な」の響きもある「美しい」術と名づけられた。つまり他の術より一段高いところに位置づけられた。

　しかし十八世紀末までに、まだ起こるべきこともあった（「いちおう」と言ったのはそのゆえだ）。それは④「美しい（beaux）」が取れて端的に「術々（les arts, the arts）」と言えば諸芸術を指すこと、⑤建築がこれに加わること（これは、『百科全書』の中心的編者ダランベールによって行なわれた）、⑥さらに単数形のl'art、artになることだ。最後の⑥は英語で言えばnature, society, truthなどと同様、個別の何かの「本性」、ある人々の「集団」、あることの「真相」が、一般化、抽象化して定冠詞なしの単数形で「自然」、「社会」、「真理」を意味するのと同様、絵画、彫刻など個別のart (the arts) をまとめたものだ。

それ以上に重要なのが十八世紀後半に生じた④である。なぜなら、数ある術の中で、「美しい術々」と言われた絵画、彫刻などが端的に「術々」と呼ばれたということは、自由人術、職人術のような他の術が、「文法の術」、「狩猟の術」などと特定されることで初めて、「術」の仲間であることが意識されること、言い換えれば、術として一段劣る術、術らしくない術として、術の中心から排除されたことを意味するからである。これは、文法や狩猟が芸術より劣る営みだと言っているのではない。わざわざ「文法の術」、「狩猟の術」と付けなくても、「文法」、「狩猟」で成り立つということだ。

以上を図示すれば、図表5-7のようになるだろう。図に即して説明し直せば、[1]プラトン以前の古代では、音楽、絵画などが一つのグループにまとめられることなく、文法や狩猟など他の術と同格、個別に隣り合っていた。[2]プラトン『ソフィスト』において、一つの理論として、音楽、絵画、詩などが「像作りの術」として一つのグループにまとめられたが、他の術より序列上高位に置かれることはなかった。[3]中世では音楽（および「文法」に含まれる詩）が「自由人術」に入れられたが、絵画、彫刻などは一段低い職人技に分類された。[4]バトゥにおいて、詩、音楽、絵画などが一つのグループにまとめられ、術の中の高い位置に置かれた。[5]十八世紀後期において、「術」と言えば詩、音楽、絵画などを指し、それ以外の術は術の範疇から外れた。

図表5-7　芸術概念の成立過程

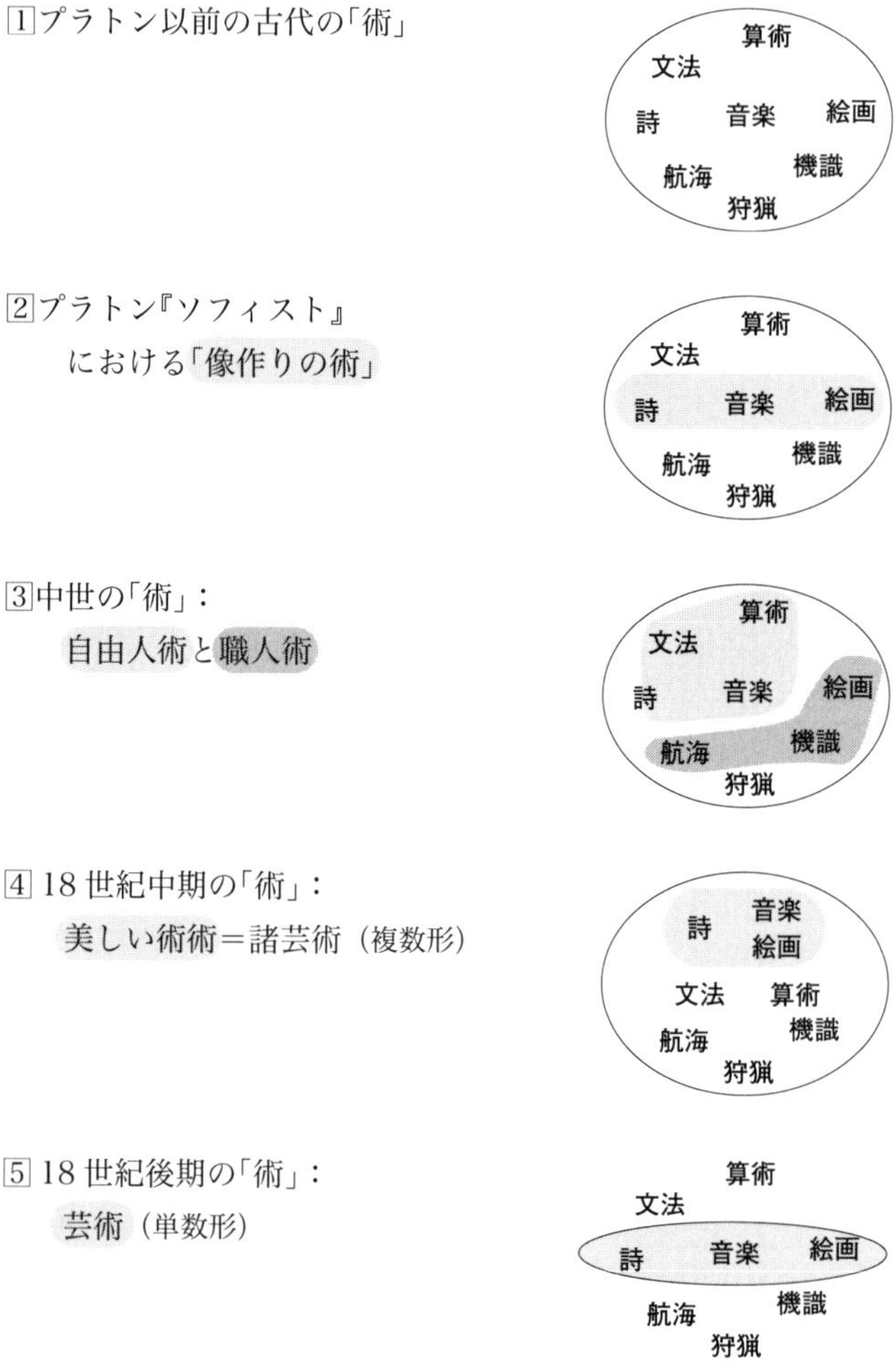

［3］芸術概念確立後

こうして芸術の体系ができあがり、何がそれに含まれ、何が含まれないかが明確になると、それ以前の作品や西洋以外の作品・営為に同じ目を向け、条件に適うものを「芸術」と呼ぶことが可能になる。我々が「シェイクスピアの芸術」、「北斎の芸術」と言えるのは、この概念を遡及的または拡張的に適用した場合のことである。「芸術家」についても同様で、シェイクスピアがAre you an artist? と尋ねられれば、おそらくNo, I am not a craftsman と答えただろう。当時の“artist”は主として「職人」を意味したからだ。我々が彼を「芸術家」と呼ぶのは、現代の目で見てのことであることを忘れないようにしよう。しかし本書では、慣例に従ってこの拡張的呼称を用いる。

他方、芸術概念が確立すると、新たに誕生したジャンルの参入が可能になる。たとえば十九世紀における写真術や二十世紀はじめの映画術がそれだ。これらを芸術と認めるか否か、当時は大きな論争があった。結局この二つはその試練を乗り越えて芸術への参入を果たすわけだが、そのような論争があり得たのは、「芸術」について大方の合意があったからにほかならない。

それに続くものとしてマンガ、アニメの他に工芸、諸種のデザインなどは現在すでに芸術として確立されていると思われるし、料理術のように、今参入しつつあるものも多いだろう。大工術は、今のところ芸術と見られることがないかもしれないが、近い将来、carpentry artist「大工芸術家」なる概念が登場するかもしれない。十八世紀後半の芸術概念確立は、そのように現代まで続く動きの前提となった。その様を図示したのが図表5-8である。中央が濃く、そこから離れるに従って薄くなるぼかし状の構造である。

　ところで、とても驚くべきことと思うのだが、「芸術」の意味のartには、事実上同義語がない。最も近いと思われるartistryはartからの派生語である上に、意味も「芸術的手腕」や「芸術性」で、活動や所産そのものを指すのではない。歴史的に見ても、The Historical Thesaurus of the Oxford English Dictionaryに、同義語と言えるものは挙がっていない。つまり英語artは、ギリシャ語テクネーから、ラテン語ars、フランス語artを経て、分岐も断絶もない一直線に繋がっている。ドイツ語Kunstも、十八世紀にラテン語またはフランス語からこう訳された点を除いて、同様であり、さらに言えば、本講第1節[3]「『芸術』とart」で明らかにしたとおり、日本語「芸術」もこれに連なっている（明治初期の「美術」を除いて）。

図表5-8　芸術の拡張

このことが意味するのは、これらの近代語がテクネーとarsから遺産のすべてを単独で受け継ぎ、しかも英、独、仏、日などの近代語同士で一枚岩であることだ。これを芸術概念の一系性と呼ぼう。全く同じことがギリシャ語ムーシケー、ラテン語musica、英語music、日本語「音楽」についても当てはまるのは、何とも興味深い（この点については、津上・赤塚『新訂西洋音楽史』第一章を参照していただきたい）。

ここで、我々の環境に目を移そう。現今、あらゆる活動について「持続可能性」が語られる。人の営みを、ある部分制限しながら基本的に肯定しようという考えだ。しかし環境問題が大々的に語られるようになった一九八〇年代には、自然の克服としての人間営為そのものを見直そうという議論が多く行なわれていたように思う（未熟な私は、人が生を営むことでこれほど大きな問題が引き起こされるなら、人類はいっそ滅びてしまう方がいいのではないかなどと、漠然と思ったこともある）。「近代の克服」そして「ポスト・モダン」が声高に叫ばれた時代でもある。芸術が環境にどのような直接の負荷をかけているかはともかくとして、すぐ次に見るように、術の中の術である芸術は、その根本において近代的反自然の極みと言える。したがって、芸術の肯定はこの反自然思想の肯定でもある。

しかし我々は生きている以上、自然に何らかの負荷をかけずにはいられない。この問題の根本的解決は、宗教によらなければならないだろうから、到底美学の手には余る。ただ、芸術が根本において自然克服の発想の上に立っていることを忘れないようにしよう。

第３節　芸術概念の歴史から読み取れること

これまで見てきたように、「芸術」は西洋の古代で、数ある術の単なる一員ずつとして始まり、十八世紀後期に、他の術を排除してこれのみが術として生き残った。次にここから読み取れることを観察しよう。

［1］術の中の術としての芸術

この動きは広義の art すなわち「術」から狭義の art すなわち「芸術」への変化である。およそ広義のXとは、指示する対象の範囲が広いだけ、特徴は弱く、逆に狭義のXは指示する対象が狭いだけ、特徴は強い。たとえば広義の東京と言えば、二十三区だけでなく多摩地区や南部の島嶼部を含む（これを「大東京」と言う場合もある）のに対して、狭義の東京と言えば、二十三区だけだ。そしてこの二十三区には、国会議事堂、都庁のように首都東京の象徴となるものが位置するのに対して、多摩地区などにはそれがない。つまり狭義の東京は広義の東京より、一層東京らしい。

これを art の場合に引き戻すと、文法術、狩猟術などを含む広義の art（術）に対して、それらを周辺に追いやりながら中心に残った狭義の art（芸術）は、art らしさを強く持つということだ。

つまり芸術はartの中のart、術の中の術として始まった。注意しておきたいのは、この命題が、私の解釈などではなく、ギリシャ語テクネー、ラテン語ars、フランス語、英語のartの用法の歴史として、辞書で確かめることのできる事実に基づくことだ。

上で、art、「術」の根本にある意味が「人為」であるとしたことを思い出そう。人為とは、人のなすことの中でも、食べたり寝たりのことではなく、あえて力を行使して現状を変えることを言う。それは動物に（少）ない人間らしいことだ。すると、術の中の術は、特に人間らしい営為、人間営為の極みと言い換えることができる。さらに言うなら、芸術とは、人間がどこまでできるかを試す、あるいは術の限界を拡張する営みである。

ただし、「どこまで」、「限界」という言葉が一つの方向、唯一の尺度を連想させるとすれば、それは私の意図するところではない。芸術家の前には、突破、拡張すべき限界の海が広がっている。そこからどの方向に進み、どのようなしかたで突破するかは、全く自由で、芸術家一人一人、その時々の決断に委ねられている（この点が、スポーツとの違いだ。第7講第1節［3］を参照）。

ここで、次の論点に進む前に、芸術のこの性質が必然的に含むもう一つの面、いわば裏の面を見ておこう。すなわち、芸術が例外なく否定のない絶対的肯定の様態にあることだ。つまり芸術においては、会心の作でなく、ほどほどのできばえ、あるいは失敗作であっても、到達できたかぎりの地点を示すことにおいて、成功作と異ならない。百点を満点とする試験の場合と違い、作品の中で、「これが到達し損なった分です」（百点満点の試験で言えば、七十点しか取れなかった私が取り損なった三十点のことだ）と差し出すことはできず、せいぜい作品の外側に立って、前後の成功作との比較から事後的に解説できる程度だ。しかしこれが欠損分の提示ではないのは、言うまでもない。演奏家が一つのパッセージをうまく弾けなかった場合でも、それはその奏者のそのときの演奏なのであり、「こう弾きたかった」というかたちは（演奏家自身の思いにおいてはともかく）そこにはない。

芸術のこの絶対的肯定性は、そもそも術の能動性に根ざしている。すなわち人為としての術は、何もしないこと（否定）、あるいは何かをされること（受動）ではなく、何かをすること（能動、肯定）である。すると、術の中の術である芸術は、肯定の中の肯定として、否定との対比における相対的肯定ではなく、肯定しかない肯定、絶対的肯定の様態にあることは、当然である。この肯定性を、芸術であることの中に本質的に含まれる一般的肯定性と言うなら、個々の芸術表現にも、肯定性がある。

絵画や彫刻には、レッシング（Gotthold Ephraim Lessing, 1729–1781）が『ラオコオン』（一七六六年）第八章で言うように、肯定形しかない。肖像で、神や人がしかじかであることは描けても、しかじかでないことを描くことはできないということだ。詩には、レッシングも言うとおり、それができる。たしかに文学作品で「AはBでない」と書くことはできる。

しかし、と私は言いたいのだが、「AはBである（ない、でもよいが）」と書かないことはできない。書かなければ、無であって、作品の中に存在しない。書かれた内容は、すべて書かれているというかぎりで、肯定形だ。映画や音楽でも同様で、個々の像や音形は、他の像や音形との対比において相対的にそこにあるのではなく、それ自体として絶対的にそこにある。一つの像（または音形）を見（聴き）ながら別の像（音形）を想起し比較するのは、意味または認識の問題であって、存在の問題ではない。芸術のこの絶対的肯定性が持つ危険については、第６講の補講６「芸術の無責任」を参照していただきたい。

このように、あらゆる芸術表現に否定態はなく、肯定態しかない。作品における表現を否定または限定する仕掛けを、作品内に設けることは原理的に不可能である。前に述べたことを後で否定しても、前に述べた内容とその事実は消えない。せいぜいできるのは、作品の外側で、「あれは嘘です」という類の発言をする程度だが、これでは本当の否定にはならず、人々を当惑させるだけだろう。

結論として、芸術は、芸術であるという一般性においても、個別の表現においても、肯定的である。

［２］挑戦としての芸術

前項で我々は、芸術は人間営為の限界を拡張する営みであるとしたが、限界の拡張には終わりがないとともに、その毎回の試みが、挑戦である。なぜなら、拡張に成功するかは予測できず、終わった結果として、到達点が従来に比べて先に行っているかどうかによってしか、把握できないからである。このことの意味を明確にするため、そうでない状況と対比してみよう。

まず①何もしないことである。これは単に怠惰であることも含むが、それだけではない。現世からの超脱を説く老荘思想、東アジアの神仙思想、多くの神秘主義などは、外界に働きかけない点で、この一種と見ることのできる立派な世界観、人間観である。その中で、拡張はそもそも問題にならない。それに対して、人間営為の極みとしての芸術は、行為することを人間の義務と考えるギリシャ的な考え方を根本において継承していて（アリストテレスは、幸福すら一つの行為であると説く。前節［３］で見た「芸術概念の一系性」も参照）、芸術はその極みに位置づけられる（この考えの負の面については、第６講の補講６「芸術の無責任」を参照）。

次に②芸術における「人間（的）」に対しては、人間的でないことの追求が考えられる。人間のすることであっても、通常の食べたり寝たりを特に人間的とするのはおかしいし、殺人、裏切りのような非人間的行為は当然含まれない。スリの術がいくら限界を拡張しても、芸術とは言えないということだ。

さらに③芸術における「拡張」に対して、繰り返しや現状に甘んじる態度がある。その典型がキッチュだ。これは観光地などで売られる安手の装飾品のようなもののことで、油彩の風景画なども含まれる。それは技法的には油絵であっても、誰もが理解できて何の反発も抱かない画題と描法によっていて、芸術とは呼ばれない。

最後に④芸術における「営み」すなわち過程は、結果を第一に考える活動に対置される。たとえば学問がそれである。学問研究において、正当な手続きを踏んで到達した結論は、次の研究の前提として、そこから出発することが許される。もう一度自分で一から辿り直す必要がないのである。だからこそ学問的知見は積み上げられ、進歩する。結果が第一という点では、政治も同じだろう。それに対して、芸術にはそのような積み上げがあり得ない。バッハがフーガ作法《さくほう》において到達した点に、後続の人はすべて自分で一から辿り着かなければならない。先人の経験はある程度、後生人に生かされるので（最短距離で辿り着く道が踏みならされているという意味で）、初めて道を開発する人または場合より、辿りやすくはなっても、自らその都度辿る以外、身につける方法はない。つまり次の一歩を踏み出せるかどうかの前提として、既存の到達点に毎回行き着かなければならない。これには、成功が保証されていない。

　このように、芸術を制作する側において、制作はその都度挑戦である。同じことは、受け手の側にも言える。なぜなら、作品や演技のよさはいつでも、どんな状況でも捉えられるものではないからである。たとえば睡眠不足や心にわだかまりのある状態でコンサートに行って、居眠りしてしまったり、雑念のせいで集中できなかったりという経験を、私はいやというほどしている。

　もっと大切なのが、作品や歴史、理論の知識だ。たとえば美術館で絵を見るとき、目の前の作品が同じ画家の別の作品より前に制作されたか、それとも後かがわかることで、同じ作品の見え方が大きく変わるだろう。そのためには別の作品の制作年代を覚えていることが必要だ。作品の背景となる歴史や理論の知識も同様である。その意味で、我々は作品鑑賞において、常に試されている。そしてこのような作品鑑賞力の錬磨には、限界がない。なぜなら、優れた作品や演技には必ず、自分でとらえ得たものよりもっと先があると感じられるからだ。スイスのフルーティスト、ペーター＝ルーカス・グラーフはかつて、バッハの作品は何度練習しても、毎回必ず新たな発見があると語っていた。

　それとの関係で付け加えておきたいのが、ときどき耳にする「芸術は感動だ」という考えである。

実は私は数年前まで、この考えが大嫌いだった。感動とは、自分の心が動かされることであり、その主体はおそらく受け手のことだから、この考えは、芸術において大切なのは、受け手の心を動かすことだと言っていることになる。少し敷衍すれば、受け手の心を動かす芸術が、よい芸術だということで、下手をすれば、私の心を動かせば、よい芸術だという主張にすり替えられかねない。これは、芸術の価値を受け手の身の丈で測るやり方で、自分のとらえたものよりもっと先が、作品や演技にあることをわかろうとしないという意味で、卑小で僭越な態度と、私には見えた（同じ構造が、プラトンを代表とする古代の超越的・形而上学的な美論と、近代の経験主義的・主観的なそれとの間にもあることについては、第1講の補講1を参照）。この態度からは、芸術を通じて人間の偉大さに触れることはできない、私はそう思っていた。

今でもこの考えの基本に変わりはないが、少し変わったのは「感動」というもののとらえ方だ。この語は特に最近、些細なことに使われることがある一方、元来心が底から揺すぶられることを意味する。それは自分の感じ方や考え方が大きく変わったという自覚であるかもしれない。私の恩師で音楽学者の戸口幸策が、ある現代日本の音楽作品について、「感性が解放される」経験をしたと新聞批評の中で書いていた。「解放」とは、それまでの制約を解き限界を突破することだから、我々の言葉で言えば、感性の拡張に相当するが、主体自身の感じ方から見れば、「感動」と言って差し支えないだろう。「感動」をこの意味で使うなら、「芸術は感動だ」は、芸術は人を大きく変える力があると言っていることになる。

もう一つ、西洋のバロック芸術は、受け手に情動を喚起することを大きな目的とした。受け手の側から見れば、情動を喚起してもらうことが快であったわけだ。これは尤もな考えだ。なぜなら、情動（emotion）とは、心の働きの一つである感性が稼動することなので、身体を活発に動かすことの爽快感と同類の快がそこに認められるからだ。この快は私の生存という目的のための手段であるわけでも、私の利害（関心）に関わるわけでもない。つまりこれは心地よさではなく紛れもない美である（第1講第2節［3］「美と他の快」参照）。したがって、「芸術は私の感動だ」というすり替えに陥らないかぎり、つまり自分に喚起された情動がすべてだと思わないかぎり、「芸術は感動だ」という考えを目の敵にする必要はない、それが今の私の考えだ。

補講５　芸術の僭越

「芸術の僭越」と言えば、まず思い浮かぶのが、芸術表現の自由と公共道徳のせめぎ合いだろう。日本で言えば、性、差別、天皇制のように、社会がタブーとする主題において、この問題は先鋭化する。この中で、芸術家だけが、表現の自由を盾に、何でも無制限に表現してよいはずはない。第６講第３節［３］「芸術の自律性」で述べるとおり、万人に向けてなされる芸術表現というものは、優れて社会的行為であり、芸術家は自分の表現が社会に与える作用を充分に予想してかからなければならない。それをしない表現は無責任であり、芸術家としての道に悖る。まさに芸術の僭越である。これは芸術とそれ以外の活動領域との関係だが、それとは別に、芸術的活動の内部にも、僭越はある。

日本の短歌を例に取ろう。これはもともと生活に根ざし、ときどきの個人的、集団的状況や心情に形と意味を与えるのに役立ってきた。あるいは特定の人に歌を贈るという形で、コミュニケーションの役割も果たした。現在に至るまで、小さな個人的感情を持ち寄り共有する広場（フォーラム）

の役割も果たしてきただろう。要するに、人の生活に役立っていた。他方で短歌には、『新古今和歌集』における定家や『ホトトギス』における子規のように、作品としての完成や新機軸を目指す動きも絶えずあった。我々の言葉で言えば、芸術化の道だ。

短歌はこうして、万人にとっての有用性と芸術としての洗練の両方にまたがりながら発展を続けてきた。もちろん両者は互いに無関係ではなく、牽引や反発などの複雑な関係の場を成しながらも、一端における芸術性と他端における有用性（端的に、芸術と生活と言おう）が、短歌というひとつながりのスペクトルの中で共存してきた。それが歌作という営みを活力づけもしてきたのだろうし、「短歌ブーム」が語られる現在でも、その状況は変わっていないだろう。

しかしもしここで、芸術の側が権威を振りかざして、短歌という活動領域の全体を牛耳ってしまうとどうだろう。私が言うのは、短歌教室の先生が生徒に自分の作風を押しつけるというような個別的事例を超えて、「術の中の術」でなければならないという規範が個人の自発的表現を抑えつけるという構造だ。新聞や雑誌の短歌欄はもっぱら古典の解説や専門家の作品発表の場となり、専門誌は愛好家の関心を高め情報を提供する役割を主とするようになるだろう。他方、一般会員の歌は「読者の作」として周辺に追いやられることになるかもしれない。この状況で、愛好家が自分の状況や心情を自発的に詠んだ歌の多くは、芸術以前の「腰折れ」と評されて注目されることがなくなるだろう。その選にすら漏れる多くの人は、自分の歌作に自信が持てず、短歌をやめてしまうかもしれない。これは本人にとってとても不幸なことだし、短歌芸術としても、活力を欠いた縮小再生産への道なのではないか。

幸い、短歌の現状はそうなっていないようだ。しかし芸術は拡張を続けている。二十世紀はじめには低俗音楽であったジャズが、現代ではいくつもの音楽大学や芸術大学の専攻課程で教授されているし、日本芸術院は「マンガ」部門を新設した。ファッション・デザイナーやメイクの専門家を「アーティスト」と呼ぶことに違和感を覚える人は少ないだろうし、英語では、腕利き料理人をculinary artist（調理芸術家）と呼ぶことはすでに始まっていて、（いささか欺瞞の臭いがするが）striptease artist（ストリップ芸術家）という表現すら定着しているようだ（「芸術」と「アート」の関係については、本講第1節［2］を参照）。

要するに、かつては芸術でなかったものが、現代社会で次々と芸術の領域に参入している（娯楽の芸術化については第7講第1節［4］「芸術と娯楽」を参照）。このうち、料理については、芸術の部分がいくら拡大しても、生活のための調理（レンチンを含めて）を圧迫することはなさそうなのに対して、洗練を極めたジャズは庶民の生活感情からは大きくかけ離れて、「難しい」ものになってしまった。ジャズの現状評価はともかくとして、現代社会における芸術は生活を圧迫してまで増殖する傾向にある。したがって、短歌が芸術化する可能性は充分にある。

逆に、そのジャズの現状に似た例として、ピアノ演奏、落語、彫刻、歌舞伎が思い浮かぶ。ここでは、多かれ少なかれ、少数の専門芸術家の活動を多くの愛好家が受容するという分極構造が定着している。何もこの状況を「僭越」と言いなすつもりはないが、人口がますます減少する現代日本の社会において、同じ構造を維持することは、だんだんあるいはますます難しくなるだろう。その中で、分極構造が決して唯一不変のものではなく、短歌型の構造があり得ると考えることは、重要であるかもしれない。

いや、それすら老婆心（いや、老爺心）だとあなたは言うかもしれない。現代のインターネットやメタバースの環境では、芸術対生活という区別が成り立たないどころか、そもそも権威的な「芸術」が存在しないからだ。その中で、「芸術の僭越」など、まさに別世界または前時代のことと思われるかもしれない。しかしすべての芸術的な営みが今後その新しい構造に取り込まれるという保証はなく、案外今の構造のまま持ちこたえないとも限らない。

第6講　芸術は術のための術

前講では、芸術概念が術の中の術として始まった経緯を辿った。本講では、この歴史事実から、芸術についてどのような洞察が導かれるかを考える。

第1節　術の中の術は術のための術

人為としての「術」は、正確に「自然」の反対語である。自然のあるところに術はなく、術の及んだだけ、自然は減じている。したがって、術とはもともとあった自然の克服である。そしてここに言う「自然」は、原初天然だけでなく、術の加わった現状も含めて「あるがままの状態」ととらえ直すことができる。なぜなら現代の世界で、全く手つかずの自然はもはやどこにもないのだし、「現状」はまだ新たな手の加わっていない状態であるから、少なくとも術を行使する当事者にとっては原初天然と異なるところがない。すると、術とは、あるがままにしておかないこと、あるがままの状態の克服である。たとえば建築術を行使する大工が家を建てるとは、柱や壁を立て、それに屋根を架けることによって、地表のあるがままの平坦な状態を克服して、地表を高める営みと見なすことができる。

　こうして人間が自然を克服するのは、通常、自分の生存にもっと有利な環境を確保するためである。つまりこのような術は有用性という目的のための手段である。手段は、第１講第２節［３］「美と他の快」でも触れたが、①他の手段に取って代わられ得るし、②目的の達成と同時に不要になる。しかも手段の要不要の判断は、手段そのものに照らしてではなく、目的に照らして行なわれる。空腹解消（目的）とおにぎり（手段）の例で言えば、おにぎりが要るか要らないかは、おにぎりがあるかないかではなく、私の腹具合によって決められる。目的と手段が別々であって、前者が後者を支配しているのである。さらに③手段は小さければ小さいほどよく、できれば全くないのがよい（ただし、実際に手段が存在しない状況とは、目的がすでに達成されている状況だ。大阪にいる私は、大阪に行こうと思っても、その手段がない）。

　このように、術のうち、有用性（自分の生存に有利であること）という目的のための手段である多くの術（これを有用術と呼ぼう）は、①代替可能であり、②他律的であり、③否定的な存在である。しかし人が行為することをよしとする世界観・人間観の中では（そうでない思想については、第５講第３節［２］「挑戦としての芸術」で触れた）、人間の人間らしさは行為することにこそある。人為すなわち術こそが人間を人間たらしめるものであると言ってもよい。つまり前述の広い意味での自然をどこまで克服したかに、人間の価値があるということだ。

すると、有用術は人為（術）らしくない術である。なぜなら、③なるべくない方がよいという意味の否定性は、なるべくある方がよい人間らしさの積極性に反するし、②他律性は、その術がその術以外のものに依存しているだけ、その術らしさが劣る。また、まだできることがあるのにそれをせずに残すのは、広い意味での自然の状態を克服しないことだから、「術」の本義に反する。①有用術の代替可能性とは、その術を大雑把に見てのことだ。細かく見れば大工甲氏の術と乙氏のそれとは異なっているところ、「だいたい同じ」と見るからこそ、乙氏が甲氏に代わり得るわけで、それは腕に自信のある甲氏には不本意であるに違いない。彼の腕を正当に術として見ていないからだ。

それに対して、「術の中の術」である芸術は、人間営為の極みとして、術の限界を拡張する挑戦なのであった（第5講第3節［1］「術の中の術としての芸術」）。つまり、③その術があればあるほどよいことは、言うまでもなく、①挑戦は毎回個別的な試みであって、他のもので代用することは考えられない。また、有用術においては、②目的の達成と同時に術は不要になって、そこで止められるのに対して、芸術はあくまでも術を追求する。たとえば家を建てる場合、住み心地のよさという目的に到達した瞬間に、大工は施主から「ここまで」と言われ、去らなければならないのに対して、大工が芸術家（carpentry artist という語はまだ出回っていないようだが）であれば、住み心地のよさが達成されても、そこで止められることなく、これ以上のものはないと納得できるまで、磨きをかける。要するに、術の中の術たる芸術は術そのものを目的とする、術のための術なのである。自己目的的な術と言っても同じことだ。

この同語反復的な言い回しは、一つの否定を前提としている。すなわち、多くの術は有用術であって、人間のよりよい生存という、術以外のもののためにあることを前提として、そうではなく、と言うのである。事実、本講第３節［２］「芸術の制度」で見るように、十八世紀後半に芸術概念が確立するまでは、芸術は信仰の奨励や王侯貴族の権威づけのような外的目的に奉仕すべきものであった。それに対して、術のための術としての芸術は、そのような外的目的を否定する。これが、現代の我々も共有する芸術観である。たとえば画家に「あなたはなぜ絵を描くのですか」と尋ねると、画家は「絵を描くために描いているのです」と答えることが許され、いかに人の役に立つかを説明することを求められない。西洋中世であれば、神の賛美につながるなどと説明して初めて、画業は是認されただろう。

第２節　美の追求活動としての芸術

芸術が術のための術であるとすると、その存在は術以外のもの（たとえば結果）から是認されるのではなく、なぜそこに存在するべきか（存在意義）が、存在自体から是認される必要がある。存在意義とは、「よさ」の一種だから、芸術は芸術そのものによさがあり、私がそれを判定する構造は二項関係にある。まさしく美の判定構造にほかならない（第２講第３節［２］「美の判定構造」参照）。ここから、芸術とは美の追求活動であるという結論が導かれるのだが、結論を急がず、じっくり考えよう。

［1］露出するかたち

芸術が芸術という存在自体から是認されるとは、先ほどの家づくりの例で言えば、伝統的日本家屋における露出した柱に、人の肌や衣服が触れて引っかからない程度の滑らかさを備えていればよしとする（これが一般の大工仕事だ）のではなく、そのすべすべさがまばゆいばかりに人の目を惹く（これが芸術家大工の仕事だ）というような事態である。つまり、芸術において、術は術として露出する必要がある。露出とは、外側から見える（聞こえるなども含めて）ことであり、明瞭なかたちを取ることである。

ところで、ここで言う「かたち」とは、目に見える形姿だけでなく、耳に聞こえる響きなど、凡そ感覚のとらえるものすべてのことである。芸術作品においては「形式」と言われるもののことだが、この語は「式」の字が付いて、決まったパターンを想い起こさせる。たとえば詩におけるソネット形式、映画におけるオムニバス形式、音楽におけるソナタ形式などである。私の言う「かたち」はもちろんそれらを含むが、それに限らず、音楽で言えば曲の規模、楽器、テクスチャ、リズム、個々の音符に至るまで、耳のとらえるものすべてだ。

実際、芸術家はこのようなかたちを追求し、それを人に誇示する。その「人」とは、広く言えば、市民公衆や、高位聖職者を含む王侯貴族であるが、芸術家はその中の特に一部の目利きを目がけて作品を制作することが多い（ニーチェは、『悲劇の誕生』のヴァーグナーにあてた一八七一年の「序言」で、捧げられたこの著作を後者が手に取った瞬間を、いかに高揚した気持ちで想像しているかを告白する）。そうでなく、作品を発表しない人は非芸術家であり、誰をも目がけず発表する人はせいぜい好事家でしかない。

ただし、目がける相手は同時代のあの人であるとは限らず、知らない誰かかもしれないし、後世の誰かであることもあるだろう。いつか、誰かがわかってくれるという確信がそれを支えるに違いない。日本の仏像を修理したとき、内側に造像者の銘が刻んであるのが発見されたという話はよく聞く。何百年も後の同業者に、自分の術を誇示しているのである。あるいは、バッハ作曲《ゴルトベルク変奏曲》の精緻を極めた構造は、人の耳の把握能力を超えているとも言われる（私は楽譜を手に、気合いを入れて、その構造を聴き取るぞと録音を聴き始めるが、その都度早い段階で落ちこぼれてしまう）。バッハは超越者に向けてこの曲を作ったのだという考えも、説得力がある（もちろん、私と超越者との間には、音楽的能力に長けた人がゴマンといる）。いずれにしても、芸術家は人にかたちを誇示する。

同じ事態はしかし、シニカルな目には、人間がどれほどできないか、あんなにがんばってもせいぜいこの程度までしか行けないかの、無様な姿をさらしているとも見えるだろう。「ここまでできます」は「これ以上はできません」でもある。政治家や学者なら、その能力は必ず業績という外皮を纏うのに対して、芸術家の場合、能力そのものをかたちにしてさらけ出すのだ。その意味では、芸術家はカッコ悪い人でもあり得る。「ここまでできる」か「ここまでしかできない」かは、見る人が決めるとして、芸術家はともかくありのままの能力を顕示する。

　ところで、私はartの訳語をずっと「術」で通してきたが、もう一つ、「わざ」と訳すことも可能だ。実は数年前まで、授業でこちらを使っていた（「術」に換えた理由については、第5講第2節［1］「西洋古代・中世の「術」の考え方」を参照）。「わざ」を使うことで、とてもうまく説明できることがある（教室でこれを話すと、私だけが面白がって、学生たちは冷静だ。親父ギャグと思われているに違いない）。

　芸術は「わざわざしたわざ」であり「わざわざするわざ」であるという説明だ。「わざわざしたわざ」の「した」は、「〜した」と、名詞を二度繰り返した後に付けられて、「〜らしい」という意味になることがある。「坊ちゃん坊ちゃんした先生」、「神社神社した神社」といった具合だ。したがって、「わざわざしたわざ」とは、わざらしいわざ、わざの中のわざ、「術」に戻せば、「術の中の術」を意味する。もちろん、芸術のことだ。おもしろい（と私が思う）のは、これとほぼ同じに「わざわざするわざ」としたとき、それが「かたちを露出させるわざ」を意味することである。

　たとえば「わざわざ来てくれて、ありがとう」と言うとき、この「わざわざ」は、相手が何かのついでに寄った（あるいは別の目的のために来た）とかでなく、来るために来たことを表わす。非難の意味で「今わざわざそんなこと言わなくてもいいのに」と言うのも、言う必要のない文脈で、言うために言ったということだ。このように、「わざわざ」はまず自己目的性を表わす。

　ところで「わざわざ」の漢字表記は「態態」である。そして「態」はかたちを意味する。したがって、「わざわざ」は「態態」を介して、「かたちかたち」に等しい。実際、先ほどの二つの例文で、

「わざわざ」は、来ることと言うことが目的や文脈に埋没して見えなくなっているのではなく、それ自体（来ること、言うこと）として姿を現わしている、つまりかたちを露出させていることを表わす。芸術も、何か別のことのためにするのではなく、「わざわざ（態態）」するものであり、そのかたちを露出させている。したがって結論として、「わざわざしたわざ」すなわち芸術は、「わざわざするわざ」すなわちそれ自体を目的とし、かたちを露出させるわざである。それが十八世紀後期に確立された「芸術」の考え方だが、同じことが日本語（漢字も含めて）の言葉遣いからも読み取れるということであり、その中に「かたちを誇示する」ことが含まれているということだ。

［2］かたちの追求は美の追求

今述べた意味の「かたち」は、先ほどの「すべすべさ」のように、明瞭であればあるほどかたちらしく、目立つだろう。そして、かたちらしいかたちとは、よいかたちだから（ただしこの場合の「よい」は、直ちに美しいことを意味するのではなく、かたちであることが際立っていることを言う）、人の注意を惹くはずである。「人の注意を惹く」ものには、危険の兆候もあるが、その場合、人はすぐにそれから離れようとするのに対して、逆に人がそのかたちをさらによく把握しようと努める、そのような注意の惹き方もある。これは「その感情の更新を望む状態」という我々の快の暫定的規定（第1講第2節［1］「快とは何か」）に適っている。そしてそれは対象（もの）のよさと感じられている（同［3］「美と他の快」）。つまり、私に快と感じられる、もののよさ、すなわち美を、かたちは持っている。したがって、かたちを明瞭にしようとする芸術は、美の追求活動である。

ただし、ここで言う「芸術」は伝統的芸術である。それが真や善に目を瞑り、美という一つの価値だけを追求したことへの反省として、現代芸術が伝統的芸術を否定したことについては、第5講第1節［4］「現代芸術と伝統的芸術」で論じた。

以上の内容を、有用術の場合と比較して図示したのが図表６-１である。図に即して説明し直せば、「自然」は術の加わらない平板な状態であり、「有用術」は、術を使ってその平板さを克服するが、術の存在は有用性に隠されてしまっている。それに対して芸術の場合、術の中の術として、自然状態から大きく立ち上がりながら、その存在は有用性に隠されることなく、かたちとして露出している。そしてそのかたちは美しい。

ここで一旦、これまでのところをまとめよう。芸術が術の中の術として始まったという歴史事実の中に、芸術は術のための術であるという一面が含まれており、そこからさらに、芸術は美の追求活動であるというもう一面が、論理的に導き出された。

図表6-1　自然、有用術、芸術（↑は術を表わす）

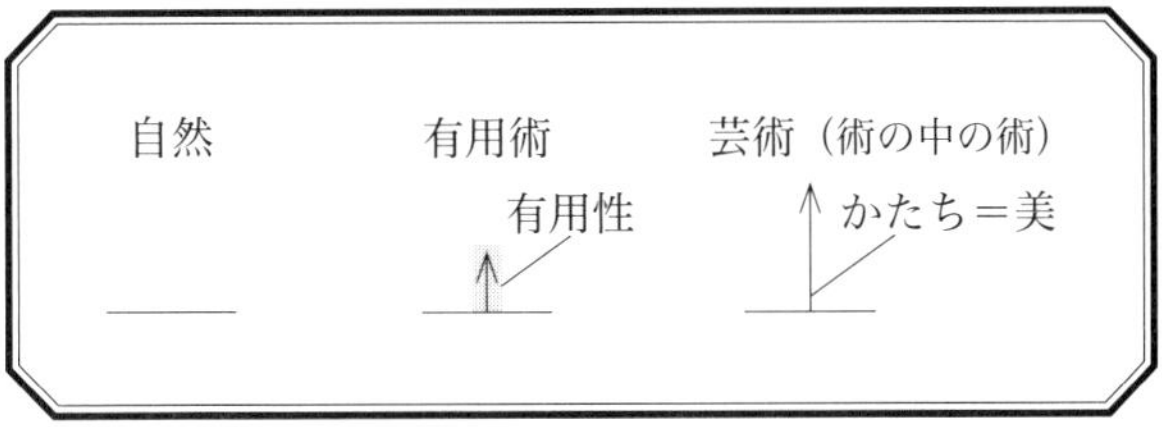

第3節　歴史的事実との照合

十八世紀後期に確立された芸術概念に、術のための術の面が含まれていることを、我々は論理的に導き出した。ではそれは、実際の歴史に、どのような姿を取って表われているのだろうか。

［1］模倣の概念

我々は第5講第2節［2］「十八世紀における芸術概念の定式化」において、バトゥが「美しい術々」すなわち現在の我々が諸芸術と呼ぶものを一つにまとめる「原理」として、「模倣」を掲げていることを見た。したがって、この「模倣」の概念が「術のための術」と重なるかを見るのが、ここでの我々の課題である。

プラトン以来、「模倣」が、人が人を真似ることに加えて、対象を再現することを意味したことは、第5講第2節［1］「西洋古代・中世の「術」の考え方」で指摘した。それは、現物がすでに一つあるところで、もう一つその現物に似たものを作ることであるが、その模像は当然現物と同じ役には立たない。絵に描いたもちは食えない。かと言ってそれは、たとえば教育に役立つとも言えない。役に立つか立たないかは、模像の内容と用法に依存し、およそ模倣であることが有用性を保証するのではないからである。模倣はこのように、何かの役に立つのではないものを作る。それでも作るのは、作ること自体のうちに意味があるからとしか考えられない。つまり模倣術は模像を作るために作る。まさに術のための術である。

　ところで、人が行為そのものを目的としながらある行為をするとは、とりもなおさずその行為をしたいということである。実際、アリストテレスも言うとおり（『詩学』第四章）、人は生まれつき（物真似、再現を含めて）模倣することを好む。また、他者の作った模像を見ることも好む。「〜することを好む」は、「〜することが快である」と同義だから、模倣の概念には、本質的に快の要素が含まれている。しかもそれが多くの人に当てはまるなら、模倣論は、人の本性から芸術を説明する、野心的な思想とも言える。

　ここで、本題からは逸れるが、模倣論の限界について、私の考えを述べておこう。模倣が、現物に似たものをもう一つ作ることなのであれば、そこに創造性の介入する余地はないとあなたは思うかもしれないが、そうではない。似せるしかたはいくらもある。たとえば肖像画の場合、人物の毛穴の一つ一つまで忠実に描くのが一つの似せ方なら、その人の外見的特徴を強調する、あるいは内面を描き出すしかたもあるだろう。写実的肖像だけでなくキュビスト的肖像もある。模倣対象にしても、実在（人）物に加え、歴史的、神話的存在、怪物、人の内面、あるいは宇宙の本質まで拡がり得るだろう。

　事実、歴史的模倣論の中で、「選択模倣」の考え方が行なわれた。バトゥも取り上げる紀元前五―四世紀ギリシャの画家ゼウクシスの逸話として、女神ヘレネ像の揮毫《きごう》を頼まれた彼は、五人の美女から最も美しい部分を選び出し、組み合わせて、理想的ヘレネ像を制作したと伝えられている。ここでは、像の部分部分は既存モデルの模倣であるが、その選び方と組み合わせ方に創造性がある。

　このように、芸術制作のかなりの部分を模倣論で説明することができる（実は私自身、模倣論的芸術論を構想した時期があった）が、他方少なくとも二つ、説明できないことがある。まず、芸術家が自分では意識せずに何かを、しかもほかならぬ自分らしいかたちで表現してしまったという事態である。時代性、民族性、イデオロギーなどをすべて意識することは、どんな芸術家にもできないが、表現にはそれらが姿を現わす。遠い他人の目には見えることが自分ではとらえられない。しかもそれは表現の重要な部分を成す。この部分は意識がとらえていないのだから、当然模倣の結果と説明することができない（「無意識的模倣」のような概念を持ち出すことも考えられるが、それには相当大きなお膳立てが必要だろう）。これが、模倣論の限界と私の呼ぶものの第一である。

　ただし、十八世紀までの模倣論者がこの限界に気付く余地はおそらくなかっただろう。なぜなら、作品に時代性などが表われているという観察は、作品が作者の個性的表現として、すみずみまで意識的に構成されているはずだというロマン派的前提に立って、それにもかかわらず非意識的表現が見出されるという一つの驚きを語っているからである。この前提に立つことなく同じ現象を説明することは可能かもしれない。たとえば、この作者はこの時代の人として当然このような類型的描法を採ったのだと。しかし現代の我々がこのような説明に満足できないのは、無意識から出たものにせよ、その表現がやはりその表現者固有のものだからであり、また、芸術制作を、ほかならぬこの人の、この時の一回限りの表現と見る芸術観に我々が慣れているからである。十九世紀以降、芸術制作と芸術観がそのように変化したということだ。いずれにせよ、無意識の表現を、現代の我々に納得できるようなしかたで、模倣論的に説明することは難しい。

模倣論のもう一つの限界は、模像が現物を超えるという身近な現象に関わる。優れた静物画は現物以上の存在感を示すし、歌舞伎の女形はある意味実在の女性以上に女性らしい。模倣とは現物を再現することだから、その方法はいくら多様でそこに創造性があるとしても、コピーである模像がオリジナルを超えることはあり得ないはずである。したがって、模倣論でこの現象を説明することはできない。

［2］芸術の制度

芸術概念が確立する十八世紀後期より前の時代、絵画、音楽などが王侯貴族の権威づけや信仰奨励のような外的目的に仕えるものと考えられていたことは、社会制度と表裏の関係にあった。すなわち多くの画家、音楽家などは宮廷画家、教会オルガニストのような地位にあり、王侯貴族、高位聖職者、教会組織などが、そのパトロンになっていた。作品の側から見れば、制作は作者の内発的衝動によるのではなく、外的要請に従って行なわれた。十八世紀までの芸術作品に、反体制的なものがないのはそのせいである。体制批判的思想が含まれていると言われる作品もあるが（たとえばモーツァルトのオペラ『フィガロの結婚』）、その思想は幾重ものオブラートに包まれていた。

ただし、詩にせよ絵画にせよ音楽にせよ、作品として優れていればいるほど、権威づけなどの外的目的をよく果たす。優れた肖像画は鋭い内面洞察によって、君主の高邁な精神性を明るみに出すだろうし、優れた受難曲はキリストによる贖罪を心に刻み込むことによって、人々を一層深い信仰に誘うだろう。十八世紀までの作品が、優れた「芸術作品」であり得るのはこのためである。言い換えれば、絵画、音楽などは「芸術」と見なされようが見なされまいが、本来的に術のための術の面を有している。芸術概念確立後はそれが社会的に認められ、結果として反体制的な作品や営為も生まれることになる。

芸術をめぐる社会制度の変化は、芸術家の身分の変化に最もよく表われている。その典型が「ヴィーン古典派」とまとめられる三人の作曲家、J・ハイドン（Joseph Haydn, 1732–1809）、モーツァルト（Wolfgang Amadeus Mozart, 1756–1791）、ベートーヴェン（Ludwig van Beethoven, 1770–1827）である。ハイドンが、活動期の大部分をハンガリーの大貴族エステルハージ侯爵家の楽長として過ごしたのに対して、モーツァルトは少年時代からザルツブルク大司教に仕えた後、一七八一年には袂を分かってヴィーンでフリーランスの音楽家としての活躍を開始する。ベートーヴェンは青年時代の短期間、ボンの宮廷に属し、その後ヴィーンでも貴族の後援を受けはしたものの、生涯の大部分をフリーランスで通した。このように三人の違いは、王侯貴族をパトロンとする体制から、市民を受け手とする体制への移行を示しており、時期的にも十八世紀後期における芸術概念の確立とぴたりと一致する。

他方、市民が芸術に接することを可能にする制度も、この時期に整備される。公開の演奏会は一六三七年ヴェネチア、サン・カッシアーノ劇場におけるオペラ公演を皮切りに、ヨーロッパ各地で徐々に制度化される。最も象徴的なのが、一七九三年のルーヴル美術館の公開である。それまで王室のコレクションとして、一般人民の目にほとんど触れることのなかった美術品が、次々と公開されたのである。

この中で、芸術家は自分の同類である市民を目がけて、同じことの繰り返しあるいは同工異曲でなく、毎回何らか新しいものを提示することが求められる。あるいは芸術家の側で受け手をリードすることも必要になるだろう。こうして芸術家は内発的に作品を制作した結果、作品数は少なくなる。数え方にもよるが、J・S・バッハ（一六八五―一七五〇）が一〇八〇（BWV）、モーツァルトが六二六（KV）、ベートーヴェンが一三八（作品番号）といった具合だ。

さらに、ジャンルを異にする芸術家が、同じ「芸術家」の範疇に包摂されることで、表現理念を共有することも行なわれるようになった。十九世紀末の象徴主義は、詩、絵画、一部音楽に共有され、二十世紀前期の表現主義は絵画、文学、音楽から映画、建築に及んだ。

特定のパトロンからの芸術の解放は、芸術が市民に向けて政治的主張をすることを可能にした。この中で、反体制的な作品も制作されるようになった。その初期の例が、美術におけるリアリズムである（その原語 realism は、中世以来の歴史のある哲学用語としては「実在論」と訳されるので、本当はそうしたいところだが、半歩慣習に合わせる。あとの半歩は「写実主義」である）。その唱道者クールベ（Gustave Courbet, 1819–1877）は、それまで神話画にせよ歴史画にせよ、いまここにないもの、したがって画家が見たことのないものを描くのが主流であった画壇において、実在するもの、とりわけ悲惨な現実を取り上げ、絵画によって社会主義的な思想を表明した（『石割る人々』における思想の表現については、第7講第2節［2］「芸術と思想」を参照)。
英国の文学者ワイルド（Oscar Wilde, 1854–1900）の戯曲『サロメ』（フランス語版、一八九三年）は、王女サロメが、「美しい」預言者ヨカナーンの首を我が物とするため踊る、という反道徳的内容のため、長い間英国での上演が禁止された。しかしそもそもこの作品が出版された（英語版は一八九四年）のも、芸術がそれ自体を目的とすることが社会的に認知されてのことである。

［3］芸術の自律性

美の追求活動としての芸術は、このように、十九世紀に社会的自律性を確立する。芸術の自律性とは、芸術が芸術を律する、芸術の尺度で測られるということで、君主の権威づけあるいは子どもの教育のような外的目的に支配されないということである。ここで、第2講第3節［4］「美の自律性と美学の成立」で見たバウムガルテンの考えを思い出そう。そこで例として挙げた画家は、ある部分を黄ではなく赤にすることに確信があるのだった。こうして得られるのが、知性的認識と同格で独立の感性的認識であり、ここでとらえられる価値が美なのであった。美はこうして自律性を認められたわけだが、それが同時に芸術の自律性の保証でもあることに注意しよう。なぜなら、画家の確信はそれ以上、以外の説明を要さず、それ自体で完結しているからだ。つまり芸術の自律性は美の自律性に含まれ、依存する。

ところで、芸術が術の中の術であり、また術のための術であるなら、芸術は、端的に芸術のための芸術であることになる。「芸術のための芸術（l’art pour l’art, art for art’s sake)」の思想は、第2講第2節［2］「一大でない」で、真・善・美との関係で言及したクーザンの名とともに語られることが多い。美が自律的価値であるなら、その追求活動である芸術も自律的だという当たり前の考えだ。これはもともと、それまで支配的であった「人生のための芸術（l’art pour la vie, art for life’s sake)」へのアンチ・テーゼとして語られ始めたが、後にしばしば先鋭化して、芸術至上主義と同義で用いられるようになった。これはまた唯美主義とも結びついて、美と芸術以外のものは無価値であるとするラディカリズムに陥ることがある。感性の暴走だ。先述の『サロメ』はその典型である。

　これは偏った考えだと、私は思う。この思想の根が三大価値、真・善・美、そしてそれに含まれる美の自律性にあることは疑い得ない。しかし美が自律的価値であるからと言って、その追求が真と善を蔑ろにしてよいことにはならない。蔑ろにする姿勢は、真・善・美の思想そのものに含まれているのではなく、その解釈の産物でしかない。三つの価値に代わるがわる目を配ることも可能であるところで、あえて目を閉じることを選択しているのだ。三大価値の思想に含まれるのは、美と芸術の自律性までであって、芸術至上主義や唯美主義は含まれない。

　同じことを芸術家に即して言い換えれば、自らの感性に従って作品や演技の彫琢に打ち込むのは何の問題もない。しかし、芸術家は作品や演技を発表する際、それがどのような社会的影響を持ち得るかよくよく考えて予想する必要がある。何しろ芸術は人の感じ方考え方、要するに生き方を大きく変える力があるのだから。美の追求に閉じこもるのではなく、時折それを止めて真と善の尺度から自分の営為を測り直す義務を、芸術家は負っている。

補講6　芸術の無責任

ある演出家の発言である。二〇二二年、沖縄の本土復帰五十周年に関連する舞台の基本構想についてだ。自分の責任は問題を提起して、観る人に考えてもらうことだ、答えを出す必要はないと。おそらくそれは、彼の謙虚さなのだろう。演出家が沖縄とアメリカの関係について、自身の答えを観客に示してわかった気にさせるより、観る人一人ひとりに自分の問題と感じさせ、自分で解決を探らせる方が、一層有意義だということだろう。このような方向は、演劇に限らず、他のジャンルでも採用する芸術家が多いだろう。

私もそれを尊重する。しかし同時に、それには負の面があることも見逃してはならないと思う。こんな問題がありますと指摘するだけでは、観る者としてどう考えるべきか、手がかりをつかめず、せっかく喚起された問題意識も、徐々にしぼんでしまうかもしれない。それは一種の無責任だと言えなくもない。では反対に、明確な答えを出せば責任を取ったことになるかと言えば、ここにも疑問の余地が残る。社会的問題について芸術家としてどこまで有効に主張できるのか、政治家として活動する方が直接の働きかけができるのではないか。社会についての問題意識を持つ以上、政治に身を投じないのは無責任ではないか。これを芸術の第一の無責任としよう。

　私は誠実に活動する現代の芸術家を非難しているのではない。芸術家が社会問題に立ち向かおうとすること自体のうちに、そして「芸術」という概念そのもののうちに、一つの限界があるのではないかと指摘したいのだ。同様の限界は政治にも、経済活動にも、そしてもちろん我々の美学にもある（補講4「感性の暗い働きと我々の美論の限界」参照）。それぞれの営みについて、強みと限界があることを意識するのがよいのではないかということだ（お説教くさくて、すみません）。

　芸術の無責任について、次に言いたいのは、術を為さない人への配慮とやりすぎの問題のことだ。本講第2節［1］「露出するかたち」で述べたとおり、芸術とは、「ここまでできる」ことを誇示する営みである。しかし世の中には、「できる」ことを目指さない人、目指せない人、あるいは目指したくない人もいるはずだ。最後の、自分の主義として「できる」ようになりたくない人（つまりニヒリストだ）のことは今措くとして、特に何かができるようになることを求めない人（つまり現状肯定派だ）や、環境や能力のせいで、そうしたくてもできない人にとって、芸術は独りよがりで、傍迷惑な面があるのではないだろうか。「私は（つまり人間は）ここまでできます」と吹聴するなら、それを見聞きする人がどう受け取るかまで考えるのが、良識ある人の慎みであり、周囲の人への優しさではないだろうか。これを芸術の第二の無責任としよう。

　もちろん、弱い立場に置かれた人たちのことを考える芸術家は多く、手を差し伸べようとする彼らの善意は疑えない。だが、前述のような人はその手をさえ鬱陶しく感じ、場合によっては「大きなお世話だ」、「放っておいてほしい」、「できる人は勝手にやればいい」と思うこともありはしないだろうか。差し伸べられた手をありがたく受け取るよう強要されているように感じはしないだろうか。

同じことは、必ずしも弱い立場にない我々すべてに当てはまると思う。体調が悪いとき、栄養価の高い肉の類を食べたくないように、疲れていたり、気分が落ち込んだりしたときは、「ここまでできます」式の芸術に接するのがつらい。それならそのときどきの自分に合ったものを選べばよいだけのことだと言われるかもしれないが、それを受け入れられないことに、小さな敗北感が伴うかもしれない。「放っておいてほしい」と思う点、前述の人たちと変わりはない。

逆に、芸術に鼓舞されて、自分の状況や能力に不相応なことをしようとする人は、周囲に迷惑をかけるだけでなく、本人としても無駄な努力をしたり敗北感に打ちひしがれたりして、不幸な目に遭うだろう。そのようなやりすぎを自省によってうまく制御するのが人の知恵というものだが（もちろん、逆の消極性も、不幸を招くことが多いだろう。またお説教くさくなって、すみません）、鼓舞した芸術の側にも責任がないとは言えない。

一例として、酒井順子著『ユーミンの罪』（講談社現代新書、二〇一三年）に従って、ユーミンこと松任谷由実が、数多くの歌（とくにその詞）によって、女性たちの生き方に与えた影響を見よう。若き日の彼女らは、ユーミンの歌に自分の生き方（たとえば恋愛やセックスをゲームのように楽しむこと）を「肯定」（酒井）または示唆されることで、「反省」（同）の機会を与えられないまま時を経て、はたと我と我が身を振り返るとき、現実の隔たりに愕然とする、それが「ユーミンの罪」であると言うのだ。実は私はユーミンに詳しくないのだが、彼女が時々の若者（だけではないだろうが）の感性を代弁しあるいはリードしてきた様子は、同時代的に知っている。そしてその内容が、人（とりわけ女性）の生き方に大きな影響を与えたことも、想像に難くない。

私は彼女の歌に難癖を付けようと思っているのではない（私も、酒井とは比べものにならないが、けっこうユーミンが好きだ）。私としては、芸術の絶対的肯定性と呼ぶものが、これに関係していると考えたい。第５講第３節［１］「術の中の術としての芸術」で見たように、芸術の基調は否定のない絶対的肯定であるから、成功した芸術は、限りない肯定つまり断定に成功している。また、人気のある芸術は、その肯定が多くの人に受け入れられている。その中で、ある思想が表明されれば、それは多くの人に断定的に受け入れられるだろう。そしてその思想に条件や限定を加える装置は、芸術内部にはない。これがユーミンの場合だ（もちろん彼女には、歌以外にも、自分の考えを伝える手段はいくらでもあるわけだが、ここでは措こう）。無条件の断定、それが芸術の第三の無責任である。

では、芸術のこの三つの無責任を避ける道はあるのか。芸術が政治ではなく、また「ここまでできる」ことを誇示する営みであるとすれば、それを根本的に避ける方策はない。しかし、本講第３節［３］「芸術の自律性」で述べたように、美の追求を一旦やめて真や善の尺度で自らの行ないを検証することが、芸術家にとって可能であり義務であるように、いま芸術の中でしようとしていることが芸術の外でできないか、あるいは外から見て適切かどうか、反省する必要があるのではないだろうか。前者の検証が、自分の尺度を美から真や善に切り替えることであるとすれば、後者の反省は、芸術的営為を芸術の枠外から眺め直すことである。他方芸術の受け手としても、芸術家の営為を可能な限り意図に立ち返って判断すれば、自分で考え、自分のしかたで受け取る道が見えて、私が「無責任」と呼んだものを避けることができるようになるのではないだろうか。

最後に、ユーミンの名誉のために一言するなら、彼女の「罪」は何も彼女だけのものではなく、まして彼女の悪意から出たものでは、全くない（それは「罪」という語を使う酒井も重々意識している）。「罪」があるとすれば、人のいろいろな生き方を「肯定」する詞の内容と大きな影響力という、どちらも普通にはよいことであるものが、芸術の原理的無責任を増幅させたことにある。

第７講　芸術は術を超える術

前講では、「術の中の術」の中に「術のための術」が概念的に含まれ、十八世紀から十九世紀にかけての歴史の動きとも一致していることを見た。本講では、「術の中の術」に含まれる、芸術のもう一つの性質を明らかにする。それは芸術が人間にとってどのような意味を持つかにかかわる。

第１節　術を超える術

我々の経験として、特別に優れた芸術の作品や演技に接して、「（あの、ではなく、凡そ）人はここまでできるのか」という賛嘆がある。その証拠に「かみわざ（神業）」という言葉がある。この「かみ」は言うまでもなく「人間」の反対語で、人間がしているのに、あたかも超越者がしているかのようで、「凡そ人の業《わざ》とは思えない」という意味だ。つまりそれは、人間営為でありながら人間営為を超越しているように見える事態を指す。芸術には、「術の中の術」と「術を超える術」、言い換えれば術である面と術でない面の両方を兼ね備えるという一見矛盾を孕んだ性質がある。

［1］術か非術か

現在我々が「芸術」と呼ぶ営みを、術と見るか非術と見るかの議論は、遠くプラトン（前四二七—三四七）とその弟子アリストテレス（前三八四—三二二）に始まる。プラトンは対話篇『パイドロス』の中で次のように述べている（二四五A。藤沢令夫訳、岩波全集版）。

> もしひとが、技巧だけで立派な詩人になれるものと信じて、ムゥサの神々の授ける狂気にあずかることなしに、詩作の門に至るならば、その人は、自分が不完全な詩人に終わるばかりでなく、正気のなせる彼の詩も、狂気の人々の詩の前には、光をうしなって消え去ってしまうのだ。

プラトンがここでソクラテスの口を借りて言う「狂気（mania）」とは、通常の精神状態からの逸脱のことだが、それには「神的」なよい狂気もあり、詩作におけるインスピレーションはその一つだと言うのである（恋もよい狂気に含まれる）。たしかに芸術一般において、優れた着想は、努力の積み重ねによって辿り着くというより、突然どこからともなくやってくるものだろう。もちろん、それは無為から生じるのではなく、不断の努力の結果、その境地に至るのに違いないのだが、どのような着想がいつやってくるかは、知ることができない。我々現代人にも納得できるこの考えは、「詩的狂気（furor poeticus）」として、ルネサンスの人文主義に受け継がれ、一つの思想伝統を成した。

ここでプラトンが言うのは、真に優れた詩は通常の判断力の埒外にあるインスピレーションによるということだ。インスピレーション（inspiration）という語も、語源的に、（外から人の心に）息（spiritus）を（吹き）入れる（in）ことを意味するから、同じ趣旨だ。プラトンはこの事態を「技巧」に対置しているのだが、その原語は「テクネー」であり、我々の言葉で言えば、「術」に当たる。真に高い詩境には、術を以ては達し得ない、プラトンはそう語っているのである。術とは、分析し一歩一歩教えることのできるはずのものだから、本当の詩作は教え学ぶことができないと言っていることになる。同じことは詩作以外の芸術一般にも言えるはずだから、結論として、本当の芸術は学べる術ではないという考えを、プラトンから読み取ることができる。ただし、「技巧だけで」、「不完全な」という限定からも明らかなとおり、プラトンも術の面を全面否定しているのではない。

それに対して、弟子のアリストテレスは術の面を強調する。彼の『詩学』は次の言葉で始まる（一四四七Ａ。津上訳）。

> 詩作術そのものとその諸種について、その各々がどのような力を持ち、詩作が立派なものであろうとするには、いかに筋が組み立てられなければならないか…を語ろう。

この「詩作」は叙事詩と悲劇（この二つに喜劇などを加えたものが「諸種」である）を代表とするので、我々の言葉で言えば、「文学」に近いものと考えられる（現代の小説のような散文物語はここから除外されるが、古代ではごく周辺的な存在であった）。「筋」が語られるのは、そのせいである（古代にも叙情詩はあったが、代表的詩種ではなかった）。ところで、「詩作術」の原語は形容詞女性単数形の poiētikē で、この箇所そのものに「テクネー」が現われるわけではないが、この形には女性名詞単数形の「テクネー」が含意されている（第5講第2節［1］で引用したキケロの場合と同様である）。彼はこの後、主として悲劇について、どのような筋構成が優れているかを、実際の悲劇作品の例を交えながら論じる。

「詩作が立派なものであろうとする［言い換えれば、詩作を立派なものにする］には、いかに筋が組み立てられなければならないか」を語るという文は、そのように筋を組み立てれば立派な詩ができると言っているに等しい（ただし『詩学』は安直な技法論ではない）。つまりアリストテレスは、詩作が、分析・教授され学ばれる一つの術であると考えているのである。この考えはルネサンス後期の人文主義に受け継がれ、詩作以外の諸芸術にも拡張されて、十八世紀までの西洋芸術論の主流を成した。近代的芸術観を定式化したバトゥが「原理」とした模倣の概念は、『詩学』の基本思想を継承したものである。

芸術を術と見るか、非術の面を強調するかは、このように西洋芸術論の二大源泉において立場が分かれ、その後の西洋芸術論でも盛んに論じられた。しかし先ほども指摘したように、インスピレーションというものは、ただ座して待つ人には訪れず、あるいは訪れてもそれを実現することはできない。待つにも十分な準備が必要なのである。しかるにこれは術の部分だ。となると、非術の境地に至るには術が必要だということになって、両者は何ら矛盾していないことがわかる。

さらに言えば、「インスピレーション」とは言うが、実際のところは、これまで自分の獲得した術に、次の一歩を加えることである。その一歩がどのようなものであるかは、たしかに予測できないが、そのような予測不可能性は、我々の日常的な思いつき一般に共通するのではないか。すると、プラトンとアリストテレスの考え方の差は、前者が詩作における思いつきの面を重視するのに対して、後者がそこに至るまでの過程を重視するという、強調の置き方の違いにすぎないことになる。いずれにせよ、芸術の中に「術を超える術」の面があるのは確かである。

［2］術の逆説

紀元前後のローマの詩人オウィディウス（Ovidius Naso, 43 BC–AD 17）は著書『恋愛術』の中で次のような鋭い指摘を行なっている（第二巻三一三。津上訳）。

> 隠れていれば、術は役立つ。気付かれると、恥の種だ。

この場合の「術（ars）」とは恋の手管のことで、この書はそれの指南を内容としている。つまり男女のつきあいにおいて、この書に示されたような術数を弄するのはよいが、それと気付かれないようにしなさい、さもないと相手にバレて大恥をかきますよというのだ。少し敷衍すれば、術の行使は術の隠蔽を以て完成するということで、さらに言い換えれば、完全な術は目に見えないということだ。この「術」を「人為」と言い換えると、さらにわかりやすいだろう。

　これは我々の経験とも合致する。一つの嘘（第５講第２節［１］「西洋古代・中世の「術」の考え方」で見たように、“art”は「詐術」をも意味する）をつくには、他の多くの場面で辻褄を合わせ通す術数を弄さなければならないし、完全犯罪とは（実際に可能かわからないが）、あらゆる証拠の隠蔽に成功したもののことだ。このことは芸術において最も顕著になる。それをみごとに表現したのが、カントだ。彼は『判断力批判』における芸術の規定として、次のように述べている（第二版、四五節、一七九頁。津上訳）。

> 術は、それが術であることを我々が意識しながらも、しかも自然であると我々に見えるときだけ、美しいと言うことができる。

「術」と訳したのはKunstで、ラテン語arsのドイツ語訳として定着していた語である。ここでカントが「美しい（schön）」と言うのは、術が立派であるということではなく、いわば芸術の「芸」に当たる。つまりもろもろの術の中で「芸術（schöne Kunst）」と呼べるのは自然と見えるものだけだと言うのである（この指摘は小田部胤久著『西洋美学史』一三一頁による）。第５講第１節［３］「芸術」と“art”で見たように、明治初年に一時fine artsの訳語として「芸術」より一般的に用いられた「美術」だと、美術＝schöne Kunstとなって、なおさら通りがよかったところだ。

　この「自然」は少し後（一八〇頁）で「意図的ではないと見える」ことと言い換えられる。意図とは「こうしたい」という目論見であり、それが然るべく成就すると、姿を消すはずのものである。大阪に行きたいという私の意図は、大阪到着の事実に消し去られる。すると逆に、意図が見えるのは、いまだ成就していないときである。つまりカントによると、意図が然るべく成就したものだけを「芸術」と呼ぶことができる。これに先ほどのオウィディウスの観察を加えると、術は術であること（人為性）を隠蔽できて初めて芸術と言えるということだ。さらに言えば、術を極めると術であることが見えなくなり、自然に見えるということで、これは芸術概念が内包する大きな逆説だ（術と自然は正確に反対語である）。

　他の術、たとえば技術や学術の場合、極めれば見えなくなることは、目指されるとしても、必須とまでは言えない。たとえば、ものを作る工程はなるべく簡素な方がよく、それを目指して改良を重ねるかもしれないし、定理も単純な「美しい」ものが追求されるだろうが、それに到達する以前の複雑さが失敗とまで見られることはないだろう。芸術においてはこれが失敗と見られ、術の不可視性を必須とする。

　このことが最も際立つのが、音楽演奏の場面だろう。「技巧家」または一般にヴィルトゥオーゾと言われる演奏家は一見、術の中の術を極め、術のための術を最もよく達成しているかに見える。しかし「技巧」が目立つのは、他の面（たとえば表現の深み）がそれに及んでいないからだ（この議論は第3講第1節［2］「純粋美と調和」で見た調和美の性質と通じる。そしてこのことは、芸術が美の追求活動であることを証してもいる）。その意味でその演奏は不完全であり、本当の芸術とは言えない。実際、そのような演奏はいかにも人為的でわざとらしく、不自然だろう。熱演、力演の類も同様だ。それに対して真に優れた演奏とは、特定の個別的な要素においてではなく、すべての要素を極めたもののことであり、曲がまさにそのように演奏されるべきであった（もともとそのような曲であった）と感じさせるもののことだ。

　しかしここであなたは一つの疑問を持つかもしれない。第６講第２節［１］「露出するかたち」では、芸術とは人にかたちを誇示する営みであるとした。しかるにここでは芸術は術であることを隠すと言う。「誇示」と「隠す」では矛盾するのではないかと。よい疑問と思う。しかし詳しく見ると、本当の芸術で隠れるのは、術すなわち人為性であるのに対して、誇示されるのはかたちだ。両者は在処を異にしている。したがって、かたちを自然なものとして人に差し出すことは可能で、それをするのが本当の芸術だということになる。

　術の極みが自然になるという逆説は、受け手の側から見れば、優れた術ほどとらえにくいという姿で現われる。作品や演技は、盛んにかたちを誇示するのだが、それが自然で当たり前のように見えるため、どう優れているのか、とらえにくいのである。したがって、受け手はそれをとらえるべく、挑戦しなければならない。そして優れた芸術であればあるほど、その挑戦は険しくなるだろう。

　ここで一つ気をつけなければならないのは、「術を超える術」が、直接には、術の現状を超えることを言うのではないことである。第６講第１節「術の中の術は術のための術」で見たように、「自然」の正確な反対語である「術」は定義上、現状の克服を意味する。その「現状」には、術の対象（たとえば平らな地表）だけでなく、術の内容（たとえば家の建て方）も含まれる。つまり「術」であることのうちに、術そのものを改良することが含まれる。したがって改良志向はあらゆる術に共通し、芸術独自の特徴ではない。芸術に限って当てはまる「術を超える術」とは、そうではなく、術であることを超えることだ。人為であるのに、人為性を否定しようとするのである。一種の存在論的超越の志向だ。これは本講冒頭で言及した「かみわざ」という言葉遣いにも合う。

ただし現実には、かみわざと言えども、術内部での、飛躍的とは言え、改良である。事実問題として、術であることを超えることと、術内部の改良は地続きである（前項最後のインスピレーションに関する議論も参照していただきたい）。言い換えれば、「術を超える術」は一種の比喩であって、術が現実に術でなくなることはあり得ない。「術を超える術」を、比喩を排して実態に忠実に言い換えるなら、術でありながら、術であることを超越する動きを孕んだ存在とすることができよう。

とても奇異に響いたかもしれないが、実は人間存在も全く同じなのではないだろうか。人間でありながら、人間であることを超越する動きを孕んだ存在ということだ。何に向かって超越するかは、人間観と価値観によって様々だろう。何も神や解脱でなくとも、空中飛行、無欠の美形、猫語（というものがあればだが）の習得も、人間の限界を超えている。もしあなたが、私はそんなことを望みませんと言うなら、それは、想像の範囲を実現可能な領域に限ることに慣れているからかもしれない（それを打ち破るのも、芸術の役割の一つで、特にＳＦ小説やファンタジー映画がその役割を果たしている。これについては、本講第２節［３］「芸術の効用と危険」を参照）。それはともかく、「術を超える術」は、まさに人間存在のありかたそのものである。

思い出せば、「術の中の術」である芸術は、最も人間らしい営為なのであった（第５講第３節［１］参照）。それが人間存在のあり方を示すのは、当然のことではある。

［３］芸術とスポーツ

ここで、芸術の隣にあって、芸術と多くの共通点を持つスポーツを取り上げよう。これを芸術と比較することによって、芸術の特質が浮かび上がるかもしれない。まず、スポーツとは何か、辞書で確かめよう。『広辞苑』第七版は次のように定義している。

> 陸上競技・野球・テニス・水泳・ボートレースなどから登山・狩猟などにいたるまで、遊戯・競争・肉体的鍛錬の要素を含む身体運動の総称。

ここで重要なのは、「遊戯」にせよ「競争」にせよ「肉体的鍛錬」にせよ、「身体運動」の外側に目的がある（たとえば農作業、建築工事はそうだ）のではないことである。それは登山や狩猟も同じで、用があってする活動ではない。

語源もそれを示していて、sport は「戯れ」、つまり外的目的のためでなく、楽しみのための営為を意味する disport の短縮形である。この変化は英語内で生じ、変化した短縮形が世界各国に広まった（私の知るかぎり、スペイン語 deporte が唯一の例外である。スウェーデン語には、sport と並んで、北欧語起源のidrottがある。アラビア語がどうか、残念ながら私は知らない）。そしてスポーツの種目も、多くが英国起源である。つまりスポーツは、概念も実体も、主に英国に発する。その結果、世界中の人々が、現実にスポーツのためにスポーツを行ない、自分がそうしていることを意識している。これは芸術における「術のための術」と重なる特徴だ。

　また、スポーツが「より速く、より高く、より強く」を目指すのは、芸術における「術を超える術」に似ている。実際、スポーツにおいても「かみわざ」が語られることもある。さらに、しばしば「美技」、beautiful performance, fine play が語られるのは、美がスポーツに関係している証拠だ。

　そのような共通点とともに、大きな相違点もある。まず、最後の美の点から言えば、たとえば野球で野手が困難な捕球に成功したとき、「美技」、「ファイン・プレー」と言われるのは、結果と結びついてのことである。どんなに難しいゴロをさばいたとしても、それがファウルと宣告されれば、評価はほとんど無に落ちるだろう。同様に、個人であれ団体であれ、勝敗を競うスポーツでは、勝つことが最大の目標となり、わざはその手段になる場合が多い。言い方を換えれば、試合はすべて勝ちか負けかということにまとめられてしまい、試合の中でどのような動きややりとりがあったのかは、陰に隠れてしまう。

　この点、術のための術としての芸術では、作品や演技は個々の部分がそれとして重要で、ひとつのことに収斂しない。重量挙げや体操のように、数値を競うスポーツでは、ルールが厳密に定められていて、術でないものに術が縛られる分だけ、自己目的性が減じる。フィギュア・スケートのように美や芸術性が評価される場合でも、技術的難度が一定の基準で定められていて、たとえば美しく転ぶことが評価されることはない。

この比較から明らかになる芸術の性質は、自由さだ。術を超えるのに、どちらに、どのように超えるかの制限は基本的に、ない。美の追求も無制限で、勝負のような外側の要素に制約されることがない。あなたは、コンクールや賞があるではないかと言うかもしれないが、それは若手の育成やジャンルの繁栄を狙ってのことで、芸術そのものの追求とは別のところにあり、大半の芸術活動はそれらと無縁である。

スポーツ（と私）の名誉のために付言すれば、勝負や規則に縛られるだけ、スポーツは不自由で、芸術に劣った活動だと言っているのではない。個人の技量とチーム・ワーク、戦術、大胆さと正確さなど、すべての要素が勝負や記録に一元化されるわかりやすさは貴重だし、一元化されることで要素同士の関係がわかることもあるだろう。「わざを超えるわざ」との関係で言えば、「超え代《しろ》」が一目瞭然である。このようなわかりやすさは芸術に欠けている。結局、同じ「わざを超えるわざ」の中で、芸術とスポーツは「超え」方が異なっている。

［4］芸術と娯楽

もう一つ、芸術に似たものとして、娯楽がある。現代の日本で、芸術と娯楽の外延は大きく重なっている。純粋な（つまり芸術でない）娯楽と純粋な（つまり娯楽でない）芸術はあまりないということだ。芸術を娯楽と見なす行ないは、人々の芸術鑑賞の至る所に見られる。作品や演技を鑑賞して「癒やされた」という類である。これは、これまでの議論に関係づけて言えば、術を超える部分を見ていないということだし、第1講「快の一種としての美」との関係に戻れば、ここで追求されているのは美ではなく心地よさである。

逆に、よくできた娯楽作品は彫琢の深さと細かさにおいて、さらに観察すべき「先」あるいは「奥」を持っていて、立派に「術の中の術、術のための術、術を超える術」の面を有している。受け手によっては、このような作品や演技に、実際に「もののよさ」としての美を探し求めてもいるだろう。歴史を顧みれば、ジャズに代表されるように、最初低俗な娯楽と見られていたジャンルが、現在では堂々と芸術の一角を占める例は多い。

つまり、対象の性質として、これは芸術、あれは娯楽と、截然と区別するのは困難ということだ。では、これまで述べてきた「芸術」の規定に、「多かれ少なかれ」という限定さえ加えれば、娯楽まで包摂される一元的説明ができるということだろうか。

それは生産的でないと、私は思う。芸術と娯楽を対象の性質から客観的に区別することは困難でも、芸術と見るか娯楽と見るか、受け手の主観的な態度としては区別ができる、そしてその区別を踏まえることによって、それぞれの作品・演技の経験が一層豊かになる、私はそう考える。

ここで断わっておきたいのは、芸術と娯楽の価値づけである。私は、芸術は立派なもの、娯楽は取るに足らないものと言いたいのではない。現代社会において、芸術に高い価値が与えられているのは確かで、他方、娯楽は今日の疲れを癒やし、明日の生活を円滑に営むための手段と考えられることが多い。それを認めた上で、ここで私が企てるのは、そのような価値づけを棚上げにして、両者に向かう我々の態度を客観的に見定めることである。言い換えれば、「芸術とは何か」、「娯楽とは何か」に答えることで、我々が両者から何を得られるかを探ることである。

英国の哲学者コリンウッド（R. G. Collingwood, 1889–1943）は著書『芸術の諸原理』（一九三八年）の中で、明快な芸術観を説いている。それによれば、芸術とは、芸術家の側から見れば、心の中にモヤモヤと何か表現したいことがあって、腹ふくるる感覚（彼はこれを「情動的負荷 (emotional charge)」と呼んでいる）を覚えているのだが、それが何であるかは最初自分でもわからず、試行錯誤の末に表現できて初めて、これだったのかと意識することができる、そのようなものだ。

彼はそれを、言語と同じであると言う。自分の漠然とした感じに、「肩こり」、「せつなさ」のような表現を与えて初めて、その実体をつかんだ気がするという我々の身近な体験と相似形だと言うのである。私の理解を付け加えれば、芸術の受け手にも、似たことが言えるのではないだろうか。つまり、それこそ慰撫のように、予め期待する効果が得られればいいというのではなく、自分のとらえ得たものよりまだ先があると感じ、それをとらえたいと思うということだ。

彼はそれに対して、芸術に似て非なるものの一種に娯楽を数える。それは芸術と違い、何を作るかが予め明確だ。一例として（若い読者がご存じか、いささか心許ないが）テレビ時代劇『水戸黄門』を考えてみよう（たしか、月曜日午後八時からの放送だった）。これには必ず悪役が登場する。たとえば弱い民を虐げて私腹を肥やす悪代官だ。番組前半ではその悪辣ぶりと善良な民の苦しみを描き、前者には怒り、後者には同情の気持ちを、見る者に引き起こす。事情を聞いた黄門一行が番組後半で解決に乗り出し、最後にお待ちかねの「この紋所が目に入らぬか」で一味がひれ伏す。そのとき、見る者における悪代官への怒りと民への同情は、もろとも跡形もなく解消し、見る者はスカッとする。これが世に言う「カタルシス」だ。「世に言う」と言うのは、これが、アリストテレスが『詩学』で言う「カタルシス」と同じものであると私は考えないからだ（万一興味がおありなら、拙稿「学びのもたらす解放：アリストテレース『詩学』の『浄《きよ》め』」をご覧いただきたい）。

それはともかく、この番組で、見る者の中に何を作り出すかはすみずみまで明確で、見る者もそれを期待している（八時四〇分だから、そろそろ代官所に乗り込むぞという予想もその内だ）。怒り、同情、そしてその解消による爽快感、さらにはそこからもたらされる疲れと憂いの軽減。これが娯楽の効果である。

端的に言って、我々が芸術に求めるのは自己の拡張であるのに対して、娯楽に求めるのは、自己の維持だ。このどちらも、我々にとって大切であるのは言うまでもない。そのときどきの状況と必要に応じて、作品を選んだり、同じ作品でも芸術として接するか、娯楽としてかを、選べばよい。さらに言えば、必ずしも一〇〇％芸術か、一〇〇％娯楽かの選択にこだわる必要もないだろう。同じ作品に、前回は（いま、仮に象徴的に数字を使うとして）芸術七〇％、娯楽三〇％で接したが、今度は五〇％、五〇％で行こうというような選択があってもよいと思う。

ここで、娯楽の危険についても触れておこう。娯楽は人に心の武装解除を求める。私は騙されるのではないかという警戒を娯楽に向けるのは、野暮だ。その中で、抵抗のない、口当たりのよい思想は容易に人々の心に入り込み、そこに座を占める。「人生、楽ありゃ苦もあるさ」、「世界は一つ」の類だ。こうして通俗的人間観、世界観すなわちイデオロギーは強化される。

　もっと怖いのは、感性の誘導だ。娯楽が喚起する情動は、怒りにせよ、憐れみにせよ、驚きにせよ、その比較的単純な形である。何と形容すべきかわからない複雑な情動を感じさせるには、それ相応の大がかりな仕掛けが必要だろうし、それを作品内で解消することは、かりにできても時間がかかり、娯楽には向かないだろう。通常の娯楽作品に多く接する結果として、我々の感性は定型的な情動しか感じなくなり、下手をすると自ら感じる力も弱まるかもしれない。最悪の場合、多数派の感じ方・考え方に取り込まれて、少数派の排除に加担してしまうかもしれない。しかもこの状態で、通俗的な思想や情動を吹き込まれた本人は、その事実に気づかない（武装解除しているからだ）。こうして人は人生や社会を批判的に見る目を日々曇らされる。これが、娯楽の危険である。

　古来、為政者は娯楽のこの働きを巧みに利用してきた。ラテン語でpanem et circenses（パンと見世物を）という言葉がある。ローマの皇帝が民の機嫌を取り、支配を安定させるために、食料と娯楽を提供したというのだ。このような愚民政策は、何も独裁者の振舞いに限らない。我々の民主主義社会も、その危険と無縁ではない。かりに為政者に悪意がなくとも、我々人民が娯楽を享受することで、政治と社会への批判精神は薄れ、我知らず体制の維持に加担してしまうかもしれないのである。いや、ある意味で自身が為政者である我々が、進んでこの道を選ぶのが、最も恐ろしいことだ。

第2節　術を越える術

第1節で「術を超える術」を論じたのに続き、この節では「術を越える術」を扱う。ここでは「超える」が垂直方向の超越を意味し、「越える」が水平方向の外部への越境を意味するものとする。術が「超える」ことと「越える」こととの関係は自明だ。術を超える術だけが芸術なのだから、そのような術だけが、術の枠を越えることができ、以下に述べる働きをする。

〔1〕芸術と現実

芸術の外部としてまず思い浮かぶのは、現実世界である。伝統的芸術は、現実世界から隔絶された虚構の「作品世界」を形成し、その中で完結する。小説作品内で起きた殺人事件で本当に死ぬ人はいないばかりか、現実にはあり得ない死者の復活も、作品ではわけもなくできてしまう。「殺しの美学」を語っていいのも、マンガや映画の中だからだ。あるいは彫像は、部屋の中に置かれた石の塊ではなく、室内空間から切り離されて、一人の人間を象《かたど》る。その境界を画するのが、台座であり、小説においては本の形態である。しかし芸術は現実世界と関係を持たないかと言えば、決してそうではない。

芸術が現実世界と結ぶ関係で最も重要なのは、現実世界の見方を教えることである。たとえば（いつも古い例で申し訳ないが）、アリストテレスも絶賛するソフォクレス作の悲劇『オイディプス王』は、知力に長けたと強く自負する主人公のオイディプス王が、テーバイの領内に蔓延する疫病の原因（この場合、一つの「穢《けが》れ」）を探求するうち、まさに自分がその原因であることを自ら暴き出してしまうという物語である。

作品は、若き日の彼がそれと知らず父テーバイ王を殺したこと、スフィンクスの謎を解いた功績で新テーバイ王となり、先王の妻イオカステを娶ったという神話を前提としている（オイディプスがそのような事実を知らずに年月《としつき》を経たことの不自然さは、巧みに「劇の外」（アリストテレス）に置かれている）。探求の結果明らかになったのは、自らの、父殺しと母子相姦の組み合わせという、およそ考え得るかぎり最も人倫に背く醜行すなわち穢れの事実である（「エディプス・コンプレクス」はここから来ている）。

さて、我々はここからどのような世界観と人間観を学ぶだろうか。それは、人間にとって世界というもののとらえ難さ、すなわち行為者による行為の主観的認識と、行為が世界内で持つ客観的意味との齟齬であると私は思う。主人公は自分では単に老人殺しをしたと思っている。これはこれで十分大きな罪だが、客観的に見た父殺しよりは小さい。また先王の妻との婚姻と思いながら、実は最もおぞましい近親相姦を犯してしまっていた。強烈なプライドにもかかわらず、彼は相手を知らず、自分を知らず、自分の行為を知らないという、客観的に見て無知の極みにあった。

アリストテレスはこれを「過ち（ハマルティア）」と言う。たしかに、人を殺す前に、あるいは娶る前に、相手が誰であるかをよくよく確かめることは、可能であり必要である。現に我々は、何をするにも自分の行為がどのような結果をもたらすか、常識の範囲で予測しながら行為することを求められており、それを怠って重大な結果を招けば、「過失」すなわち過ちとして罰せられる。

では、かと言って、将来のできごとのすべてを予知することができるかと言えば、それは不可能だ。現実世界のできごとには、さまざまな偶然が働くからである。結局、この悲劇が教えるのは、人間にとって、常識の範囲を越えて未来を予測することの不可能さ、そしてそのような限界を弁えず、すべてを知り得ると思い込むことの愚かさである。さらにその元には、卑小な人間存在と底知れぬ世界との間の恐ろしい断絶がある（さらに興味がある読者は、拙稿「『大きな過ち』：アリストテレース『詩学』第十三章における悲劇性」をご覧いただきたい）。

例を説明するのに時間がかかったが、私はこのような世界観と人間観をこの作品から学ぶ。その結果、私は行為において慎重になり、思想において謙虚になるかもしれない。つまり作品が、現実世界の見方とその中での振舞い方を教えるのである。敢えて現実でない虚構世界を用いることで、現実世界のありさまが照らし出される。これは芸術作品が芸術の枠を越えて、現実世界に及ぼす作用の最たるものである。

ここで忘れてはならないのは、芸術作品側のあり方である。たとえばこのオイディプスの話が現実味を帯びて、観るものに「憐れみ」と「恐れ」（アリストテレス）を感じさせるのは、人物の性格設定、その行為、それを含めた話の展開全体が「尤も」、「ありそう」と見えるからこそである。たとえば並外れた知力を自負するオイディプスが、周囲の諫めも聞かず疫病の原因究明に突き進むのは、そのような性格の人ならさもありなんという我々観客の判断を前提としている、さもなければ、観客は、変な奴がいるものだと白け、退屈するだけだろう。作品が現実世界を鏡としてできていればこそ、次に現実世界の鏡となることもできるのである。

芸術はこのように、現実世界と互いに相照らすという関係で、芸術の枠を越え、現実と関係する。芸術が現実世界の見方を具体的に示す例としては、風景画と風景写真が典型であろう。人はそこから、「この風景はこんなに美しい」と、見方を学ぶ。英語 landscape は「風景画」の意味の用例が「風景」のそれに年代上先立つ。

しかし芸術はときに、新しい現実を実際に作り出すこともある。オスカー・ワイルドはエッセイ「嘘の衰退」（一八八九年）で、「芸術が生を模倣するよりはるかに多く生が芸術を模倣する」との「逆説」を説いている。彼はここで十八世紀までの伝統的模倣論の命題「芸術は自然を模倣する」を前提に置き、敢えてそれを反転させているわけだ（この「生（life）」は、少し拡張して「現実」と置き換えてよいだろう）。その例として、彼はいくつもの歴史的・文学的人物を挙げるが、日本でもよく知られているのが、ゲーテ作『若きヴェルテルの悩み』だ。許されぬ恋の悩みからピストル自殺する主人公、それを現実の男たちが実人生で模倣し、自らの手で死んだとワイルドは言う。実際にそのような事件があったか、私は知らないが、江戸時代の日本で、浄瑠璃、歌舞伎の「心中物」が大流行して情死賛美の思想が広まるに及び、幕府がこのジャンルを禁止した事実があるようだ。つまり、まさに現実が芸術を模倣したわけである。

それは特殊な例だとあなたは言うかもしれない。しかしあなたは、小説の、映画の、アニメのあの場面で、あの人物がこう振る舞ったことを、自らの行為の手本としたことはないだろうか。たとえば、ちょっと言い出しにくい頼み事を、ドラマでの俳優の表情を参考に切り出すことはないだろうか（私は、ある）。それは故なきことではない。先ほども指摘したように、芸術作品は現実世界に照らして「尤も」と思われる人の性格や事件展開を描き出さなければならない。つまりそこで提示されるのは、ワイルドも言うように、一つの「典型」なのである。こう考えると、ワイルドの「逆説」は、立派に一面の真理を突いている。「一面の」と言うのは、もう一面を再度強調したいからだ。たった今言った、芸術が現実を写し取る点である（ワイルドも、これを認めるからこそ、「ではなく」と言わず、「よりはるかに多く」と言っているのだろう）。

結局、芸術と現実は、互いに観念的に照らし合うだけでなく、行為においても互いに形成し合う。これが、芸術が芸術を越える第一の局面である。

［2］芸術と思想

芸術はかたち（形式）によって、そのかたちそのものでないものを受け手に認識させる。絵画がその典型で、二次元平面の塗り分けのかたちによって、三次元空間を観者に了解させる（錯覚(illusion)。芸術論ではカタカナ書きで「イリュージョン」とされることもある）からだ。前項で見た世界観もこうして伝達される。そのかたちから認識されるものは、しばしば「内容」と呼ばれ、その一つに思想がある（誰、何を描くか、あるいは感情も内容であり、作品や演技から読み取られる地域的・

時代的背景などもこれに含めることができるだろう）。

「思想」とは英語で言えばthoughtつまり考えられた内容であり、「社会主義」、「プラグマティズム」のように、一定の集団に共有される思考の基盤としてのイデオロギーとは異なる。芸術の作品や演技における思想は、現代日本でしばしば「メッセージ」と呼ばれ、これの有無を、芸術と娯楽の分かれ目と考える人もいる。芸術家が真摯に考えた結果を、または鋭く感じ取った社会の動きを、作品や演技で表現することは、芸術家の大きな使命である（もう一つの使命である感性の開発については、次の［3］「芸術の効用と危険」で述べる）。

芸術のジャンルによって、思想伝達をしやすいものとそうでないものがあるのは確かだ。たとえば小説、演劇、映画などは人の行為を描くことができるだけ、その基にある、あるいはその目指す思想を表現しやすいのに対して、直接に行為描写をしない音楽は、思想表明をするにしても間接的にならざるを得ないだろう。静止した形態を提示する絵画、彫刻、写真は、一瞬のかたちの中に前後の動きを示唆したり、神話や歴史、あるいは事件に取材したものなら、典型的一場面を取り上げることで、できごとの全体を象徴することもできるので、思想表明の容易さにおいて、小説類と音楽の間にあると考えることができる。建築は、目的や立地との関係で、極めて明確に思想を表明できる場合もあるが、そうでない場合も多いだろう。

同一ジャンルの中でも、積極的に思想表明を行なう作家、作品と、思想が前面に出ていない作家、作品がある。例として、絵画におけるクールベ（すぐに取り上げる）対モネ、音楽におけるベートーヴェン対モーツァルトが真っ先に思い浮かぶ。確かなのは、表明された思想を作品の一部と考えずにはいられず、その作品についてまず思い浮かぶのは思想である、そのような作品があることだ。ジョン・レノン（John Lennon, 1940–1980）の〈イマジン〉における反戦思想（これについては、『あじわいの構造』序章を参照していただきたい）、宮崎駿のマンガ『風の谷のナウシカ』における環境思想、ダンテ『神曲』における救済思想も思い浮かぶ。ここでは「〜思想」と概念化されたものを並べたが、芸術作品の思想がそのようなものだけでないことは、クールベとの関係ですぐに説明する。

　このような作品において、思想は「術」とどう関係するのだろうか。芸術は「術の中の術」として、最も人間らしい営為なのであった（第5講第3節［1］「術の中の術としての芸術」参照）。他方、人間、社会、世界はいかにあるべきか、人間の心の奥底には何があるか、神や超越者というものを認めるか否かなどは、人類普遍の最重要問題である。とりわけ西洋の知識人は、伝統的にそのような問題に敏感だ。すると、芸術がそれに答えようとするのは、当然であり、必然の成り行きである。

　しかしそのような問題に立ち向かうのは、何も芸術だけではない、学問、政治、経済、宗教など、多くの営為がそれぞれのしかたで答えを出そうとしている。また、思想表明をするなら。論理を展開できる評論によるのが最も正確、効率的で、何も芸術によらなくてもよいのではないか。では芸術はどのように問題に答えようとするのだろうか。また、芸術による思想表明には、他の方法にない独自性があるのだろうか。

　芸術はかたちによって思想を表現する。ここで言う「かたち」とは、繰り返すが、作品において感覚にとらえられるもののすべてのことだ。すると、芸術作品において、かたちが変われば、表現される思想も変わるはずである。無論、作品には多くの場合、題が付いているし、作者や評論家、研究者による解説、さらには映画学、演劇学などの歴史的、理論的知識が伴うことも多いが、ここではそれらを二次的なものと考え、作品だけを見ている場合を想定しよう。わかりやすい例として、恋愛を主題とする映画における性描写を考えよう。どの部分を、どこまで、どのように映し出すかによって、観客が受け取るものは、正確にその分だけ変わるだろう。一九七〇〜八〇年代の日活ロマンポルノは、猥褻さと芸術性のギリギリの両立を追求した。その芸術性には思想も含まれる。

芸術作品の表現する思想は、別のかたちで言い換えることができない。これは科学や数学の場合との比較から、いっそう明確になるだろう。たとえば物理法則や数学の定理などは、それを発見・唱道した人の説明とは別のしかたで、ほぼ同じことを、より簡潔に表現できる。これが学問における積み重ねの前提である。

他方、芸術の場合、たとえば物語作品について、あらすじを要約することはできるが、その分内容が収縮する。要約のしかた次第では、二つの作品のあらすじが一致する可能性もあるが、だからと言って、二つが同じ作品だと言う人はいない。音楽についても、抜粋のようなしかたで長さを縮めることも行なわれているが、省略された部分のあじわいは当然抜け落ちる。また、絵画や彫刻の作品を要約したり、別のしかたで言い換えたりすることはほとんど考えられない。縮小像、拡大像は、ある意味の言い換えと言えるのではないかと言うかもしれないが、大きさは作品のかたちの本質的な部分である。

さらに、版または稿（version）について考えてみよう。文学や音楽の作品が最初に公表された後、作（曲）者が改訂を加えて第二版、第三版が発表されることがある。映画では配給会社の意向も加わって、もっと複雑になり、どの部分を盛り込みどの部分を割愛しているかの違いを、カット（director's cut のように）と呼んで区別している。大局的に見てそれほど大きくないとも見える版の違いがしばしば問題にされるのは（かりに衒学趣味から出たものだとしても）、そのかたちの違いが、作品の表現する思想にいちいち変化を及ぼすからである。もしこのカットでもあのカットでも要約すれば同じだと言うなら、それは要約が粗いからにすぎない。

いま、芸術作品による思想表現の一例として、クールベの『石割る人々』（一八四九年発表、一九四五年焼失）を見よう［図表7－1］。実は私は絵画のデスクリプションということをしたことがないのだが、思想の読み取りに関わる限りで試みたいので、素人臭さには目を瞑っていただきたい。

画面の二人のうち、右の帽子をかぶった人物は、曲がった背から年配と見え、左の無帽の人物は逆に若い。左端の籠のようなものは、切り出し場から石を背負って運ぶためのものと思われ、左側の若者が、そうして運んできた石を選り分けているようである。おそらくそれを受け取りながら、右側の老人が石を割って舗石を作っている。二人の服は破れ、ズボンには継ぎが当たっている。画面右側には、二人の食事の用意と思しき深鍋とパンが見える、

ここまでのところでこの作品の内容を言葉でまとめれば、貧しい老職人と年少の助手が、家の近くではなく、食事のために一時戻れないほど遠くの戸外で、石割りの労働にいそしむ姿を描いたもの、ということになろう。このようなありさまを描いたところまでで、この絵の思想表明は立派に成り立っている。無論我々としては、ここから次に、画家が当時の苛酷な現実を訴えることで社会

の矛盾をさらけ出し、延いては社会主義の主張に繋げたかったのだというような解釈を引き出すことができるし、それが画家の意図であったかもしれない。しかしここでは、（クールベに倣って）できるだけ目に見えるものに話を限ることにしよう。

　このような描写からは、老職人の手の日焼けと汚れ、ぎこちない腕の角度、そして痩せた体の硬さ、片や助手の若者らしい肌の白さとたくましいが柔軟な身体、そしてシャツの破れ具合、このような特徴は抜け落ちている。ならばそれをデスクリプションに加えればよいではないか、あなたはそう言うかもしれないが、そのような付加には切りがない。つまり、あまりにも当然のことだが、描かれたものを言葉で尽くすことは不可能なのだ。ところが目はそのすべてを見て取っていて、我々はそのような微細な差異を含めてこの作品をとらえ、そこから思想を受け取っている。「思想」と言っても、それは言語的なものに限らず、いわば絵画的思想をも含む。それを言語的に展開して、たとえば前述の社会主義のような概念に結び付けることは可能だが、それが言語の粗いグリッドへ

図表７−１　クールベ『石割る人々』

の変換過程を経ていることを忘れてはならない。

芸術において、一つの思想は唯一のかたちを以てしか表現できない。したがって、新たな人間観や世界観を表現するには、新たなかたちを開発しなければならない。逆に、一つのかたちは否応なく一つの思想を表現してしまう。もし立派なかたちを持つ（たとえば大規模な）作品が首尾一貫した思想を表現していないなら、その空虚さが目立つことになる。また、一定のかたちによって表現できる思想も、ある程度限られる。たとえば俳句で遠大な思想を表現することはなかなか難しいのではないだろうか。あるいは、〈イマジン〉を歌うジョン・レノンの優しい歌声は、軍国主義には合わない。

本項最後の検討点として、思想は芸術作品の美の一部を成すかを考えよう。実は、私の中で最後まで残っていた問題だ。しかし今、何とか解けた気がする。

クールベ作品の分析で見たように、芸術における思想は、絵画のようなジャンルあるいは平面的視覚像のような媒体に固有のかたちによって表明され、社会主義思想のような言語的思想とは直接には関わらない。そのかたちは無限に多様であり、その多様さの一つ一つが絵画的思想を表わす。二人の距離、二人の肌、後ろの枯れ草、右端の鍋とパン、右上端の空など、そのすべてが、無限に多様であり得るかたちの一つであり、その一つ一つが、（無理に言葉に翻訳すれば）互いに手を伸ばせば容易に届きそうな間合い、黒ずんだ皮膚と白い素肌、晩秋か冬の季節、準備された昼食、中景の暗さと対比的な明るさのような思想を表現している。

そのような小思想同士は放っておけばバラバラだ。それを統一するのが、思想であると私は考える。引き続きこの作品の例でいえば、まずは、客観的には単に老人と若者である二人が、互いの距離から「職人と助手」という思想によって一つにまとめられる。次に、二人の肌の色の違いから「対比」が、枯れ草から「晩秋か冬の作業」が、鍋とパンから「家から離れた戸外での食事」が示される。そして空の明るさによって強調される中景の暗さとの対比から、明るく照らし出された前景の二人が、この姿のままこの絵の「主題」であること、さらにその主題のためにこの全体構図が採られたことが理解される。これにシャツの破れやズボンの継ぎを考え併せれば、「貧しい二人」も加わる。

　ここから想像される内容を、右の思想に加えることもできる。晩秋か冬の戸外での昼食はあまりくつろげないだろう。嵐や雪のとき、この仕事はどうするのだろうか、助手は今のところ、若者らしい瑞々しさを保っているが、年を経るにつれ、右の老人のように痩せてこわばった体つきになるのだろうか。このような想像が、二人の置かれた状況の苛酷さをありありと感じさせる。

　疑問と推測も湧く。この二人は親子なのだろうか。きっとそうだろう。貧しい家庭だ。二人はなぜ顔を見せないのだろう。きっと画家は、個人としての二人より、苛酷な労働の実態を描きたかったのだろう。するとこの絵は社会の現実を主題としている……。このすぐ先に、社会主義云々が来るのは言うまでもない。

　このような想像や推測を、どこまで作品の思想とすべきかは、制作当時の絵画的、思想的、社会的状況を踏まえて決定されるべきだろうから、私には判断がつかない。ここでは、私自身の思い込みをできるだけ排するため、画面から客観的に読み取れることに視野を絞ることにすれば、この作品の思想として「画家は、貧しくこわばった老職人と貧しいがみずみずしい年少の助手とが、晩秋か冬に、家から離れた戸外で石割りの労働にいそしむ姿を主題とした」と言えるだろう。ここから漏れる点は多々あろうが、今は芸術作品における思想という問題構造の一例なので、細部には目を瞑っていただければと思う。

これが作品全体の思想である。それは作者の側から見れば、かたちとかたちを統合する原理、受け手の側から見れば、多様なかたちを統一的に理解する鍵として働く（念のために言えば、この「理解」とは言語的なものではなく、複数のかたちを一つのものとしてとらえることそのものである）。

すると、受け手が、かたちの大きな多様性を少数の思想でまとめられればられるほど、すなわちかたちを多様なままに少数の中心思想に関連づけられればられるほど、ますます理解が進むということだ。理解とは、対象を破壊することなく観念的に自分のものとすることだから、それはどんなに小さくとも、自己の拡張を意味し、快い、そしてその快は、かたちのもたらすものと感じられる。快という判定結果が、かたちのよさを証しているということだ。それはとりもなおさず、「私に快と感じられる、もののよさ」としての美である。したがって、芸術作品において、かたちを理解することは、かたちを美しいものととらえることに等しい。結論として、思想はかたちを美しくする。ということは、かたちがみごとに思想に統一されていればいるほど、その作品は美しいことになる。

あなたはすでにお気づきだろうが、思想がかたちを統一する働きは、第1講第3節［2］「美の客観的説明方式」で見た「多様の統一」の一局面である。「多様の統一」とは、客観的には二つ別々である音と音が、聞く者の主観の中で一つの響きに統一されるというような事態を指すのであった。第1講では、この理論を美の説明の一方式としたが、ここでは敢えて美との関係を棚上げしよう。すると、この「多様性」は対象について言われているので、作品のかたちの多様性がこれに含まれるのは当然である。そして、第1講で指摘したように、この「統一」は、第４講第２節［1］「多を一とする感性」で述べた「感性の統合作用」に属する。すると、思想がかたちを統一する働きは、実は感性の作用と重なることになる。

実際その通りではないだろうか。ここで言う「思想」は、何度も言うように、まずもって絵画的なものであって、言語的、概念的な思想はそこから展開され得るにすぎない。感性が、二つ（以上）のかたちを、一つの思想ないし意味を持ったかたちに統合する。その過程を繰り返した果てに、作品全体が一つの思想に収斂する。この「思想」は、絵画的、音楽的のようにジャンルまたは媒体に固有なものから概念的なものにまでわたるだろう。この意味の思想は、かたちと不可分に作品に内在し、作品から取り外すことはできない。

以上をまとめれば、芸術は最も人間らしい営為として、人間の最重要問題に答えを出そうとする際、かたちの彫琢によって、そのかたちと一対一に対応する思想を表明する。それが、芸術における思想表現の特徴であり、これによって、論理的言語のような他の方法では表明できない思想内容を表現する。そしてその思想は、かたちを統合する原理として作品に内在し、作品の美の一部を成す。

［3］芸術の効用と危険

すべての芸術の効用は何よりも、人間とはここまでできるものだと示すことによって、人を鼓舞することである。「人を鼓舞する」という言い方がわかりにくいといけないので、芸術以外の領域から同様の例を挙げるとすれば、スポーツ選手の活動がわかりやすいだろう。その代表がアメリカ大リーグでの大谷翔平の大活躍だ。そのニュースに接するだに（テレビで、まして球場で、同時観戦すればいかばかりかと思うが）、会ったこともない私が「日本人にここまでできるのか」と驚きを感じ、「私も、もっとできるかもしれない」という心の高揚を覚える。これを指して、スポーツ選手はしばしば「人々に勇気を与える」と言うのだろう。大谷の場合、「日本人として」という条件が、私の高揚感を手伝っているのは確かだが（以前からマスコミを通じて「知って」いて、最も弱い意味でだが、「同朋」と感じられる）、それだけではないと思う。むしろ彼が一人の人間として、人類能力の天井を突き破っていることのあっぱれさが、人の心を動かしているのだと思う。その証拠に、アメリカの観衆も彼の活躍に大喜びしている。

同じように、芸術は術の卓越を示すことで、人を鼓舞する。これは、あらゆる作品と演技が、およそ芸術であり芸術という形式内にある限り、有する効用なので、芸術の形式的効用と呼ぶことにしよう。

芸術はまた、内容に応じて社会に貢献する。その一つが、前項で論じた思想表明を通じての貢献である。そして前項はじめで「もう一つの貢献」としたのが、感性開発の働きである［図表7－2］。

前項で見たように、芸術の作品や演技において、どんな微細な差も意味を持つので、かたちのあるがままをすみずみまで見て（聴いて）取る必要がある。芸術家はそのような唯一無二のかたちを決定しなければならないし、受け手は感性を全開にしてかたちの把握に努めなければならない。私が「感性開発」と言うのは、主に後者を指してのことである。受け手は、ときには微細、ときには振幅の大きなかたちの展開に全神経を集中させることで、感性の働きを開発する。その細目に目を向ければ、その場の注意力（感覚作用）だけでなく、ここにない他の作品・演技を思い浮かべながら、ここにあるそれと比較するための想像力も働いている。これは、受け手が凡そあらゆる作品・演技に接するかぎり働く想像力なので、仮に形式的想像力と言うことができるだろう。

それに対して、想像の働きを積極的内容とする作品がある。想像力を開放して非現実の世界を展開するＳＦ小説や、ファンタジー映画の類だ。我々は与えられたルーティーンに埋没した毎日を過ごしていると、想像力が痩せ細り、思い描く内容が、身のまわりの実現可能なことに狭まりがちだ。それを回復し、活性化させることは、生の充実を感じさせるだけでな

図表7–2　芸術の貢献

- 芸術の貢献
  - （形式的）――人の鼓舞
  - （内容的）
    - 思想表明
    - 感性開発（注意力と想像力の錬磨）

く、現実のありさまを、思い描き得る他のありさまと比較して複眼的にとらえるのにも役立つだろう。特に顕著にそれをするのがＳＦ小説などであるが、他ジャンルの芸術も、多かれ少なかれ同じ働きをする。なにしろ芸術作品は、少なくとも伝統的なものなら、現実世界とは切り離された、想像上の作品世界を開示するのだから。

　感性は、磨き得るものだと私は考えている。注意力と想像力は、その場その場の緊張と努力だけでなく、常日ごろの心がけで高まるし、歴史や理論の知識により、より微細なあるいはより大きな特徴に注意が向かい、またより豊かな想像が働くからである。知識が注意と想像を助け、そうして促進された注意と想像が次の知識を求めるという循環によって、感性は磨かれるものだ。注意の向け方を教えてくれる批評家や、一緒に作品や演技を鑑賞した仲間の意見も重要だ。このように芸術に接して感性を開発することで、人は感じ方を鋭くかつ豊かにすることができる。こうして確立された感じ方は、自分の考え方を確立することにも役立つだろう。それが、自分で感じ考えられる人になるということだ。

　芸術は、このような大きな効用を有するが、そのまさに裏返しの副作用を見逃すことはできない。芸術の危険と私が呼ぶものだ。まず、前項始めに述べた鼓舞作用については、第５講の補講「芸術の僭越」で、第三の無責任「無条件の断定」としたものが関係する。一方的鼓舞が、人を惑わすことがあるということだ。これは、芸術がすべてを肯定形で表現することから必然的に帰結する。これを、芸術という表現形式に由来するものとして、「形式的危険」と呼ぶことができるだろう。

　次に、個別的経験内容に依存する、いわば内容的危険に目を向けよう。感性開発の副作用としては、第2講の補講「美の危険『金閣寺』の場合」で論じた危険と重なる部分がある。美に悪魔的な力があるなら、それをとらえる感性にも常軌を逸した働きがあるわけで（第4講第2節「感性の独特な働き」参照）、感性の開発はその面をも目覚めさせるかもしれない。また、感性開発はややもすると美の盲目的追求に繋がりかねない。世の中で起きていることにはすべて目を瞑り、ひたすら芸術世界に閉じこもる態度である。しかしこの二つは、必然的に感性開発に伴うものではない。

最後に、前項で述べた芸術の思想表明の副作用を考えよう。まず「無条件の断定」の危険は、鼓舞においてと同じく、ここにもある。何しろ、一つの思想をひたすら肯定的に表明するのだから、一方的主張にならざるを得ない。典型例が、ジョン・レノンの〈イマジン〉における反戦思想である。音楽として、思想として、とても美しいが、他方、詞に歌われた理想をいかに実現するかの説明がなく、主張としてはいわば言いっ放しになっている（これについては、『あじわいの構造』序章を参照していただきたい）。

芸術はまた、ときに善意の欺瞞を働く、これが、芸術の危険の最たるものだ［図表7-3］。芸術は人の心に入って内側から人を支配し、洗

図表7-3　芸術の危険

- 芸術の危険
  - （形式的）── 無条件の断定（必然的）
  - （内容的）
    - 悪魔的感性の開発（可能的）と盲目的芸術追求（可能的）
    - 一方的主張（必然的）と善意の欺瞞（可能的）

脳する。どの芸術にも共通するが、音楽、特に自分で歌う歌に最も顕著に表われる。その典型的な例として、小学校唱歌〈故郷《ふるさと》〉を次の補講7で取り上げる。その分析と自らそれを歌うことの意味の考察は、少々長くなるので、補講に送り、ここではその結果から出発する。

〈故郷〉は、郷里を離れ都会で辛い日々を過ごす男性主人公の心情を、優しく歌いやすいメロディで、歌い手に寄り添うように歌う。名曲と言ってよいだろう。それにより、歌い手は主人公と一体化し、この歌によって自分自身の心情を吐露しているかのように感じる。小学校で教えられたこの歌が、一生のレパートリーとなって、いかに多くの人の慰めになったか、想像に難くない。それが、しばしば「日本的叙情」と言われるものなのだろうが、私はそこに、一種の欺瞞を感じる。

この主人公の日々が辛いのは、故郷を離れて都会で働かなければならない（そうしたいと自発的に思う場合も含めて）からであって、それはまずもって社会の問題だ。明治時代に富国強兵策を採らざるを得なかった日本の特殊事情でもあり、産業革命の世界的現象でもある。いずれにせよ、主人公はその社会構造に批判の目を向けることもできたはずだ。しかしそれをさせず、社会の問題を個人の心情の問題に置換し、感性的に昇華・消化させるのが、日本的叙情の働きである。同じことは、太平洋戦争中の軍歌の多くに見られる。戦死を、個人が耐え忍ぶべきものとして、哀愁の情で受け止めさせるのである（これについては、『危険な「美学」』第四章「『散華』の比喩と軍歌〈同期の桜〉」を参照していただきたい）。

それは過去のことで、現代日本ではそんなことはどこにもありません、とあなたは言うだろうか。私はある、至る所にあると思う。たとえば図表7－4のような漫画的イラストで、ひどい目に遭った人が涙をドバッと噴出させて泣く姿である。これは、誇張を含みながらも、人々の現実行動を表現しているのではないだろうか。災いをまず心情的に受け止めるのだ。

　現代の状況をどう見るかはさておき、日本的叙情が心の奥底に潜り込み、心を支配すると、人は批判精神を抑えられて、そこに表明された思想を、差し出されたままに受け入れる。〈故郷〉の場合で言えば、故郷に錦を飾ることを目指して明日もがんばれという勧奨だ。しかも歌の内容である美しく彩られた往時は、不本意な現状よりもっと本当の、生き生きした自分の姿として、心を鼓舞するに充分だろう。さらに言えば、詞の中で、主人公は言葉として顕在化せず、そこに歌い手本人を代入できるように作られている。歌い手は主人公になる。こうして社会の問題は、みごとに個人の心情の問題にすり替えられるのである。

図表7–4　心情的受け止め

　私が欺瞞というのはこれのことで、ここに詞と音楽の巧みな構成が貢献しているのは確かだ。では、作詞者高野と作曲者岡野には、社会問題を隠蔽し、人々を瞞着しようとの悪意があったのだろうか。もちろんそうではないだろう。それどころか、両者は芸術的良心を以て作品を彫琢し、若い国民の情操を涵養しようとしたに違いない。私はその善意にこそ危険があると思う。人は善意というものに批判や疑いを向けないからだ。無論、このような善意が必ず欺瞞という結果をもたらすとは限らない。しかし、この場合のように、芸術作品の予見し尽くすことのできない作用の中に、欺瞞が含まれ得ることは確かである。作品を制作する者は、それがどのような影響を及ぼすか、できる限り予想しなければならないが、予想の及ばないところで、欺瞞のような危険な働きをするかもしれないことを、弁えておくべきだし、鑑賞する側は、作品に瞞着されていないか、冷静に反省する必要がある。

以上見てきたように、術を越える術としての芸術には、功《こう》の恵みとその裏返しとしての罪《ざい》の危険がある。そのどちらも、とりもなおさず芸術の人間的意味である。我々が芸術との付き合いから、恵みを得、災いを避けるには、芸術が何をなし得るかを理解することが大切だ。芸術家にとっても、受け手にとっても。

補講７　人と音楽　自ら歌うということ　〈故郷《ふるさと》〉の場合

ここでは、人間にとって芸術がどのような意味を持つかを具体例に則して考えるため、〈故郷《ふるさと》〉を取り上げ、詳しく論じよう。高野辰之（一八七六―一九四八）作詞、岡野貞一（一八七八―一九四二）作曲のこの歌は、一九一四（大正三）年尋常小学校唱歌として発表され、現在でも小学校の「音楽」教科書に載っているようだ。まずはその詞を見よう（後の音譜ともども、『唱歌大事典』（二〇一七年）の報告する一九一四年刊の『尋常小學唱歌』による）。

一　兎《うさぎ》追《お》ひしかの山《やま》、小鮒《こぶな》釣《つ》りしかの川《かは》、夢《ゆめ》は今《いま》もめぐりて、忘《わす》れがたき故郷《ふるさと》。

二　如何《いか》にいます父母《ちゝはゝ》、恙《つゝが》なしや友《とも》がき、雨《あめ》に風《かぜ》に　つけても、思《おも》ひいづる故郷《ふるさと》。

三　こゝろざしをはたして、いつの日《ひ》にか帰《かへ》らん、山《やま》はあをき故郷《ふるさと》、水《みづ》は清《きよ》き故郷《ふるさと》。

ここに「私」を表わす語は出現しない。しかし「父母」、「帰らん」という句の中に、それは明確に含意されている。そもそも冒頭の「兎追ひし」、「かの」からして、特定の動作主体と観点を示唆する。つまりこの詞は明確に、隠れた主人公の物語なのである。以下、それが潜在していることを示すため、《私》と表記しよう。

詞の全体構造を見ると、三つの節《せつ》（番）がすべて「故郷」で終わり、同格のまとまりであることが示される。そしてその内容として、一番が過去、二番が現在、三番が未来を語るという設計が認められる。

まず一番では「追ひし」、「釣りし」の過去回想の助動詞が、また「今もめぐ」る「夢」、「忘れがたき」という言葉の意味が、故郷の過去を指し示す。その「故郷」は、山河における幼時の楽しい遊びに象徴され、その脇にあったに違いない貧しさ、不自由さなどは捨象されている。要するに、過去の故郷は美しい「夢」の像として、《私》の感性に現前している。

二番の「如何にいます」、「恙なしや」は、故郷の「父母」と「友がき」に尋ねる現在の疑問である。現在の「雨」や「風」に際して「故郷」が「思ひいづる」とは、それが過去の故郷の雨の日、風の日と二重写しになっているということである。これはまさにノスタルジアの構図で、《私》は一定の喪失感を前提としながら、失われた過去の想像上の現前を感性的にあじわっているのである（これは、第３講第３節［２］「美的質の歴史的変化」で、「正負両価」のノスタルジアとしたものに当たるだろう）。しかし故郷を思い起こすのは、好天時ではなく荒天時である。「につけても」と言うのだから、望郷が、辛い現実に直面しての防衛機制として習慣化しているということだろう。すると、この《私》の日常はおそらく幸せではない。

最後の三番では「いつの日にか」「帰らん」が未来への期待を表明する。今の《私》は故郷を離れた都会にいて、若き日の「こゝろざし」を「はた」そうと努力し、大志が成った暁に故郷に錦を飾ることを心の支えとしている。時代からして、《私》は男性だろう。しかし「いつの日にか」という言葉は、まだその実現の目処が立っていないことを示していて、《私》は帰郷を、少なくとも成功者としての帰郷を、半ば諦めているようでもある。二番の内容と合わせると、なおさらそう思える。その中で、想像は再び（兎追ひし）「山」と（小鮒釣りし）「水」に戻り、「あをき」、「清き」と美化される。

しかし考えてみると、そんなに帰りたいなら新幹線か飛行機でちょっと帰ってくればいいのに、という気もしてしまう。一九一四年の交通事情はもう少し不便だったかもしれないが、問題はそういうことではないだろう。おそらく《私》は、成功者となるまでは決して故郷に帰るまいと心に決めている。その決意と現実の大きな乖離ゆえに、「山はあをき故郷、水は清き故郷」と、連呼せずにはいられなかったのだろう。

これまでの観察をまとめると、《私》は、若き日に大望を抱いて故郷を離れ、都会に移り住んだが、志を果たすに至らず、望郷の念を支えに辛い日々を生きている、そのような男性である。

ところで先ほど、この詞が主人公を強く示唆しながら、それが語として顕在化していないことを指摘した。つまり《私》は資格としてここに座がありながら、その席は空いていて、誰かが着座するのを待っているということだ。その「誰か」とは、言うまでもなく、詞を読む一人一人である。読み手は自らの少年時代を、山や川を、そこに代入し、擬似的に《私》として「故郷」を追慕する。「あの」、「かの」がどのかを明示しないことも、この代入を誘っているだろう。

　無論、上で見た《私》の状況すべてが読者に当てはまるわけではない。故郷で暮らし続ける人、都会育ちの人、あるいは異郷で成功を収めている人もいるだろう。しかし、第３講第３節［２］「美的質の歴史的変化」で見たように、ノスタルジアという西洋語が、空間的な「故郷」から時間的な「過去」へと憧憬の対象を変じたように、この空間的な「故郷」は時間的な「あの頃」に置き換わる可能性がある。また「かの山」、「かの川」が故郷にはなくとも、幼時に訪れた山や川をそれに置き換えることもできるはずだ。過去との時間的、心理的隔たりが、それを容易にする。要するに、詞に描かれた状況は、多少の読み換えを施せば、現代でも多くの人に当てはまる。

　しかし読み手は、いかに心情的に《私》に近づこうと、《私》と一体化することはない。《私》は主人公として、この詞の世界（物語世界）の内側に位置するのに対して、読み手はあくまでも外側の存在であるからだ。つまり読み手は、俳優が役柄を務めるように《私》を代弁し、その役を演じているのである。人格は形の上で、読み手と主人公の二つである。

　では、〈故郷〉を歌う人はどうだろう。この歌のメロディについては後述するとして、まずは、朗読する場合との比較を見よう。朗読する人と同様、歌う人も主人公を代弁する。しかし誰もが認めるように、歌はメロディ、リズム、和音、強弱、音色、速度などによって、喜び、悲しみ、不安などの情動を表現する。強弱などの変化は、朗読でもある程度可能だが、一定限度を越えると、鼻につく。それに対して、音楽はその制約から免れているだけでなく、音楽固有のメロディなどの手段によって、振幅大きく、しかも微細に、情動を表現することができるのである。歌とは、この表現力を詞に合わせる仕組みである。

もう一つ、詩と音楽、朗読と歌唱の差が顕著に表われるのが、繰り返しの局面である。特定の句を繰り返すリフレインは、詩にも音楽にも用いられる。しかし詩においては、繰り返されるのが作品の一部分に限られる上に、繰り返しはある特殊な効果を生むので、やたらとは使えない。それに対して音楽では、ソナタ形式の提示部のように、大きな部分がそのまま繰り返されるのは当たり前だし、〈故郷〉のような有節歌曲では、同じメロディが詞を換えて何度も繰り返される。またソナタや交響曲のような器楽曲では、主題やモティーフが、出現する度に繰り返されないことのほうが珍しい。詞にはない繰り返しを、歌曲が独自に行なうことも、頻繁に行なわれる。たとえばベートーヴェンの交響曲《第九》第四楽章の〈歓喜の歌〉はいくつかの詩句に区切られて、何度となく繰り返される。音楽は繰り返しの芸術だと言ってもよいだろう。このように、歌において詞句はくどく感じられることなしに強調され、聞き手の心に刻み込まれる。

では、この音楽的情動表現は、歌い手本人の心とどう関係するのだろうか。歌い手は、これこれの情動を表現しなさいと、曲によって外から押しつけられるのだろうか。そうではない。ここが音楽の神髄だと私は思うのだが、人は真剣に歌を歌うとき、曲の刻々の進行を、他人ごとではなく、我がこととする。すなわち、今歌っているモティーフは、さっきのモティーフとどう同じでどう違うのかのように、記憶像と現在の聴覚像との照合、あるいは未来に向かって、今の弱拍の次には強拍が来るはずだとか、この不協和音は次の小節で解決するだろうとかの予想、そのような心のさまざまな能動的な働きによって、我々は現に歌っている音を刻々新たに意味づけている。一瞬一瞬の進行に必然性を感じるとまでは言わずとも、それを「自然」と感じながら歌うのでなければ、棒歌いになってしまう。

　歌を歌うとは、曲のメロディ、リズム、和音、アーティキュレーション、強弱、テンポなどを、その場その場で納得し、自ら感じながら、いわば私の表現として引き受けることなのではないだろうか。それは、音譜から歌を読み取る場合でも、耳で聞いて覚えている場合でも、変わるところがない。

　音楽には、なぜそんなことができるのだろうか。それは、音楽が時間の上で展開するからである。歌う人の意識は曲の進行に占められ、曲とともに流れる。意識が曲の進行と一体になるのである。そのとき、人は曲の情動を自分の情動として表現している。そして歌は、特別の音楽的訓練を受けていない人にも開かれている。無論、（カラオケでの経験も含めて）訓練を積めばそれだけ表現が深まるだろうが、そうでない人はそうでないなりに、歌で情動を表現できる。好きな歌を歌うすべての人において、その表現は自分の情動表現である。〈故郷〉について言えば、歌い手はこの詞の主人公を代弁するだけでなく、音楽的に主人公その人になって、《私》の思いを自分の思いとして表現する。詞の朗読においては二つであった人格が、歌では一つに近づく。

　最後に、この一般論が〈故郷〉に当てはまるかどうか、曲を見よう［図表7-5］。曲は三拍子だが躍動感はなく、♩＝八〇で、むしろとても落ち着いた感じがする。それは大きく、メロディのな

図表7-5　唱歌〈故郷《ふるさと》〉

故　郷

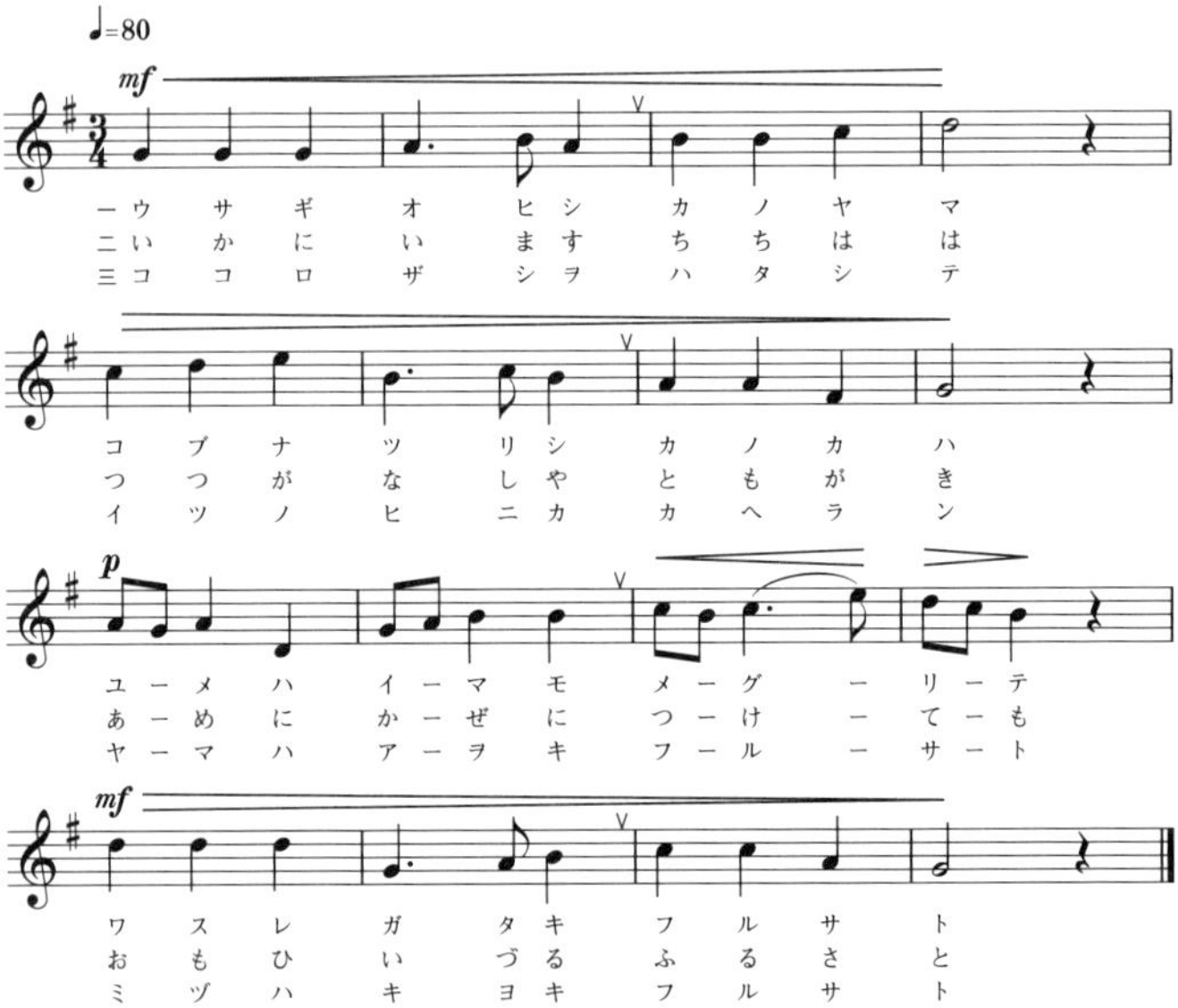

だらかさに起因する。詳しく見ると、曲全体が順次進行を主としていることがわかる。順次進行とは、音が音階上の隣の音に進むことであり、離れた音に進む跳躍進行と対を成す。第一段の四つの小節では、ソソソラシラシシドレと、すべて隣の音に進んで、跳躍が一つもない。以下跳躍を探すと、第二段ドレミシドシララファ♯ソに二つ、第三段ラソラレソラシシドシドミレドシに三つ、第四段レレレソラシドドラソに二つ見られるが、興味深いことに、七つの跳躍のうち、五つが下行形であるのに対して、上行形は第三段第一から第二小節のレソと同じ第三段第三小節のドミの二つだけである。そのうち、レソは第一小節の音

形を第二小節で変形する際に結果的に生じたもので、第三段最後から第四段最初に移る際に生じたシ‐レと同じく、まとまりとまとまりの間に引き起こされた段差とも言うべきもので、狭い意味の「進行」とは異なる。結局、純然たる上行跳躍は、第三段第三小節のドミに限られる。それを強調するかのように、この二音に曲中唯一のスラーがかけられている。

跳躍、特に上行の跳躍は、歌い手に大きなエネルギーを要求する。逆に言えば、それのない歌は歌いやすく、落ち着いた曲調になる。跳躍の全くない第一、および二つの下行跳躍をもつ第二、第四の都合三つの段が、全く同じリズムでできているのに対して、第三段は、曲中唯一の純粋上行跳躍を含む三つの跳躍があり、リズム上もメロディ上も、曲に変化をもたらしている。全体に起承転結の定形を踏んでいるとも言え、まことに収まりがよい。

その結果として、〈故郷〉のメロディは、単調さをほどよく避けながら、詞の内容に見事に調和した落ち着いた気分を醸し出しているのである。強く自己主張するメロディが、音楽的にも心情的にも歌い手を選ぶのに対して、この歌では、優しく歌いやすいメロディが、どの歌い手の心情にもそっと寄り添い、意識とたやすく一体化する。歌い手は〈故郷〉を生きるのである。おそらくそれが、先述した「故郷」、「かの山」などの読み換え可能性とともども、この歌の世代を超えた人気の要因なのだろう。

このメロディに乗せて詞を歌うとき、歌い手一人一人は、もはや他人の思いを代弁しているのではなく、自分自身の心情を吐露しているように感じられる。ここでは、歌い手本人の「私」が詞の主人公の《私》とほとんど重なり、人格がほぼ一つに融合する。歌い手の人格は、歌の間だけにせよ、奇跡的に個の縛《いまし》めを解かれるのである。

以上、たった一曲にすぎないが、分析から芸術作品の人間的意味の一端が明らかになったかと思う。もちろん、これは音楽、歌唱、〈故郷〉の個別的意味であり、ジャンル、作品個々にそれぞれの意味がある。そのような人間的意味が、芸術の「術を超え・越える術」としての最も大きな面である。

あとがき　講義を終えて

本文でも、「講義の前に」でも、恥ずかしくて書けなかったことがある。それは、私にとって、学問するとはいかなることかということだ。それをあとだし的に、あとがきで言ってしまいたい。ちょっとキザだが、ギリシャ語で ἡ ἀλήθεια ἐλευθερώσει ὑμᾶς（真理はあなたがたを自由にするだろう）という言葉がある。『新約聖書』「ヨハネ伝」八、三二に、イエスが弟子たちに語った言葉として記されたものだ。学生時代にギリシャ語の勉強を兼ねて、福音書を読みはしたのだが、この言葉が気に留まることはなかった。そして留学先のドイツ、フライブルク大学人文学部の校舎に DIE WAHRHEIT WIRD EUCH FREI MACHEN と書かれているのがそれだと気付くこともなかった。幾歳月を経た数年前、国会図書館受付の上の壁にギリシャ語大文字でこの文が彫り込まれているのが目に留まり、ネット検索でようやく出どころを知った。西洋の古典を専門の一つとする者として、この無知は十分恥ずかしいことなのだが、右に「恥ずかしくて」としたのは、しかし、そのことではない。

それは、いくらおめでたい私でも、自分のちっぽけな研究を「真理」の探求と称するのは憚られるし、またいくら無信仰の私でも、自分の行ないをイエスになぞらえたのでは、あまりに畏れ多いからだ。しかしいま、「あとがき」に免じてその点に目を瞑っていただけるなら、さらに「あなたがた」を「我々」に読み替えるなら、この言葉は、本書の指針であった。

まず、私はなるべく自由にこの本を書こうとした。つまり、先学の積み重ねと自分の感じ方・考え方とのどちらに重点を置くかの選択で、私は迷わず後者を選んだ。それは、本文で何度も繰り返したように、本書の理想とする、自分で感じ・考えることの、私なりの実践でもある。

次に、人が何かを学ぶとは、とりもなおさず一つの縛りを身に引き受けることである。我々は幼少時から、学習という名の縛りを受け入れながら世の中の仕組みを学び、社会の成員となった。だがその中で、否応なく、知らず知らずのうちに余計な縛りに捕らわれてもきた。つまり、思い込みだ。我々は意識してこの縛りから自己を解放しなければ、自ら狭い見方に囚われるだけでなく、周囲の人に自分の縛りを懸け拡げることにもなりかねない。

「ヨハネ伝」の言葉はそれを言うものだ、私は勝手にそう解釈している。つまり人は真なるものを見極めることで、自分を縛っていたもろもろの思い込みから解放され、自由になる。そのためには、自分の目でことがらを見、自分の頭で考えなければならない。その一つ一つが、感性と知性の行使であり、練習である。

ここで、本書がどのような人とできごとに負っているかを、感謝の念とともに振り返りたい。

「講義の前に」で述べたように、本書は美学の講義に基づいている。そこでは成城大学のことだけを書いたが、同じ講義を、数年にわたり慶應義塾大学と東京芸術大学でも行なった。履修という形で協力してくれたすべての聴講者に感謝している。

実は、前著『あじわいの構造』の最後でも、似たことを書いた。その書が、成城大学美学ゼミでの卒論指導の賜物と言えるという趣旨だ。それは私にとって、まさに美学の練習であった。十二年後、今度は講義の内容を形にできるのは、大きな喜びであり、成城大学での私の仕事はともかくもこんな具合だったと、自分の中で思い定められることに、小さな安堵を覚えている。もっとも、あと三年ほどの在任期間中にどんな変化があるか、楽しみではある。

授業の話を続ければ、成城大学を含めたいくつかの大学（院）の授業では、美学の古典を原語で講読してきた。全篇読みきったものに、アリストテレス『詩学』、ヴィンケルマン『古代美術模倣論』、ハイデガー『芸術作品の根源』、コリンウッド『芸術の諸原理』がある。中には授業で初めて読むものも含まれていて、私自身、とてもよい勉強になった。授業では、この文は前の文と論理的にどう繋がっていますか、この語と同じ意味で使われていた語句は何ですか、文法的理解はそうですが、では次に、内容的にどんなことを言ってるんですか、こんな質問を参加者に投げかけながら、私自身も返答を待つ間、必死に考えることで、読解力を鍛えることができた。それは、間違いなく本書の基礎となっている。その意味で、講読の授業に参加してくれたすべての人も、本書の成立に不可欠の存在であった。

本書成立の具体的きっかけも、授業にあった。東京大学における私の古代美学史の授業に、西洋古典学の学部生および大学院生として参加し、その後、春秋社の編集者になった加藤弘朗さんから「執筆依頼」のメイルをいただいた。非常勤講師としてこの授業を担当した二十五年のちょうど最後に当たる二〇二〇年十二月のことだ。アリストテレス『詩学』の文献学的解釈がおもしろかったので、本にしないかとの誘いであった。

ちょうどよい節目でもあり、その気になってお引き受けはしたものの、誰に向けて書くべきかの見定めがつかず、筆が進まなかった。他方、美学概説の方を書きたいという思いが募り、春秋社に相談したところ、認めていただいた。その間に社を退職した加藤さんに代わり、『あじわいの構造』

でもお世話になったベテラン編集者、高梨公明氏に担当していただくことになった。キャリアの点では対照的なこのお二人の編集者に、本書はきっかけと仕上げを負っている。ありがとうございました。高梨さんに作っていただいた詳しい索引のおかげで、より深い理解が読者に開けるだろう。

内容について個別にお礼申し上げたい方は、第３講第３節［３］で紹介した卒論の執筆者、黒田あずささん、補講３で「エッチ」の情報を提供して下さった田中優さんであり、組織としては、補講７の大部分の転載を許可してくれた成城学園教育研究所、それに第２、３、４講の図表のいくつかと第４講第２節［４］の記述の大部分を、前著『危険な「美学」』から、多少改変して転載することを認めてくれた集英社インターナショナル社である。

本書の締めくくりに、美学は人の役に立つ学問だという私の年来の主張を、もう一度繰り返したい。美と芸術について自分の理解を深めることで、人はもっと自分らしく生きられるようになるはずだ。その役に、本書が少しでも立ってくれれば、と思う。

二〇二二年十一月

津上英輔

書、2021 年）
Immanuel Kant, *Kritik der Urteilskraft*, 2nd ed., Berlin: Lagarde, 1793（カント『判断力批判』熊野純彦訳、作品社、2015 年）
O. ワイルド「嘘の衰退」（西村孝次訳、オスカー・ワイルド全集 4 、青土社、1981 年）
R. G. Collingwood, *The Principles of Art*, Oxford University Press, 1938（コリングウッド『芸術の原理』近藤重明訳、勁草書房、1973 年）
津上英輔「学びのもたらす解放：アリストテレース『詩学』の『浄《きよ》め』」（『美学』194 号、1998 年、1–11 頁）
同「『大きな過ち』：アリストテレース『詩学』第十三章における悲劇性」（成城大学大学院文学研究科発行『美学美術史論集』13 号、2001 年、75–92 頁）
同「人と音楽―歌うということ」（成城学園教育研究所発行『成城教育』184 号、2019 年、5–11 頁）

■第 3 講

『ソクラテス以前哲学者断片集』第一分冊（岩波書店、1996 年）
E. ハンスリック『音楽美論』（渡辺護訳、岩波文庫、1960 年）
谷崎潤一郎『陰翳礼讃』（1933 年）
木幡順三『美と芸術の論理』（新版、勁草書房、1986 年）
岩城見一『感性論―エステティックス　開かれた経験の理論のために』（昭和堂、2001 年）

■第 4 講

Benedetto Croce, *Estetica come scienza dell'espressione e linguistica generale*,Bari: Laterza, 1902（クローチェ『美学』長谷川誠也・大槻憲二訳、春秋社、1930 年）
Ken-ichi Sasaki, ed., *Asian Aesthetics*, Kyoto University Press, 2010.
松﨑俊之「「3.11」をめぐる断想、あるいは感性論としての美学の限界について」（実践女子学園教育研究振興基金助成金による研究プロジェクト報告書「大震災以降の新しい感性論の構築に関する研究」研究代表者椎原伸博、2012 年、7–20 頁）

■第 5 講

プラトン『ソフィスト』（藤沢令夫訳、岩波版プラトン全集 3 、1976 年）
Marcus Tullius Cicero, *De oratore*（キケロ『弁論家について』大西英文訳、岩波文庫、2005 年）
G. E. レッシング『ラオコオン』（斎藤栄治訳、岩波文庫、1970 年）
Charles Batteux, *Les beaux arts réduits à un même principe*, Paris: Durand, 1746（バトゥー『芸術論』山形熙訳、玉川大学出版部、1984 年）
西村清和『現代アートの哲学』（産業図書、1995 年）
津上英輔「古代理論を近代思想に仕立て直す：ジローラモ・メーイの芸術体系論」（『美学』252 号、2018 年、13–24 頁）
津上英輔・赤塚健太郎編著『新訂西洋音楽史』（放送大学教育振興会、2021 年）

■第 6 講

アリストテレス『詩学』（松本仁助、岡道男訳、岩波文庫、1997 年）
酒井順子『ユーミンの罪』（講談社現代新書、2013 年）

■第 7 講

ソフォクレス『オイディプス王』（藤沢令夫訳、岩波文庫、1967 年）
プラトン『パイドロス』（藤沢令夫訳、岩波版プラトン全集 5 、1974 年）
アリストテレス『詩学』（松本仁助、岡道男訳、岩波文庫、1997 年）
Ovidius Naso, *Ars amatoria*（オウィディウス『恋の技術』、木村健治訳、西洋古典叢

参考文献

本文で引用・言及したものを中心に、重要なものを挙げる。外国語文献で邦訳がある場合、本書で使わなかったものについても、情報を掲げる。いくつも邦訳がある場合、手に入りやすく、信頼できるものを挙げる。

全　般

数ある専門辞典・事典類のうち、私が頻繁に参照したのは、佐々木健一『美学辞典』(東京大学出版会、1995年)、竹内敏雄編『美学事典』(増補版、弘文堂、1974年)、益田朋幸・喜多崎親編『岩波西洋美術用語辞典』(2005年)、『岩波哲学・思想事典』(1998年)、『哲学・思想翻訳語事典』(増補版、論創社、2013年)だが、読者に『美学の事典』(美学会編、丸善出版、2020年)を特に薦めたい。とりわけその第8章「社会と美学」は、美学がどんな場面で社会や我々の生活と関係しているかを考える手がかりを与えてくれる。美学の分野で卒論や修論を書こうとしている人にも、有益だろう。

美学の歴史と理論についての正統な概説書としては、小田部胤久『西洋美学史』(東京大学出版会、2009年)と『美学』(同、2020年)を薦める。

本文中幾度か言及した二つの拙著も、本書の応用編として参考になるだろう。『あじわいの構造：感性化時代の美学』(春秋社、2010年)は、感性化の現象と仕組みを扱い、『危険な「美学」』(集英社インターナショナル新書、2019年)は、美と芸術が我々の生活に及ぼす負の作用(危険)を指摘したものである。

▪第1講

プラトン『饗宴』(久保勉訳、岩波文庫、1952年)

アリストテレス『形而上学』(出隆訳、岩波文庫、1959–61年)

同『弁論術』(戸塚七郎訳、岩波文庫、1992年)

Immanuel Kant, *Kritik der Urteilskraft*, 2nd ed., Berlin: Lagarde, 1793(カント『判断力批判』熊野純彦訳、作品社、2015年)

▪第2講

Alexander Gottlieb Baumgarten, *Aesthetica*, Frankfurt an der Oder: Kleib, 1750/58(バウムガルテン『美学』松尾大訳、講談社学術文庫、2016年)

Victor Cousin, *Du vrai, du beau et du bien*, Paris: Didier, 1853(『真美善論』、邦訳なし)

美

快

索　引

→ を見よ　⇒ も見よ

プロフィール

津上英輔(つがみ　えいすけ)

1955年東京生まれ。東京大学文学部および大学院で美学を、ドイツ、フライブルク大学で音楽学を専攻。博士（文学）。同志社女子大学を経て、現在成城大学教授として美学を担当。その間、イェイル大学、ストックホルム大学で研修。著書に『あじわいの構造：感性化時代の美学』（春秋社、2010年）、『危険な「美学」』（集英社インターナショナル新書、2019年）、『メーイのアリストテレース『詩学』解釈とオペラの誕生』（勁草書房、2015年）、*Girolamo Mei: A Belated Humanist and Premature Aesthetician*（同、2021年）、編書に*Girolamo Mei, De modis*（同、1991年）、訳書にグラウト・パリスカ『新西洋音楽史』（戸口幸策、寺西基之と共訳。音楽之友社、1998–2001年）など。2021年から赤塚健太郎らと放送大学「西洋音楽史」（ラジオ科目）を担当。

美学の練習

2023年１月10日　第１刷発行
2024年５月20日　第２刷発行

著　　者　津上英輔
発 行 者　小林公二
発 行 所　株式会社　春秋社
〒101-0021　東京都千代田区外神田2-18-6
電話　03-3255-9611（営業）
03-3255-9614（編集）
振替　00180-6-24861
https://www.shunjusha.co.jp/
装　　丁　河村　誠
譜例浄書　株式会社クラフトーン
印刷・製本　萩原印刷株式会社

ISBN 978-4-393-33392-1　定価はカバー等に表示してあります